共感・ピクチャレスク・ポイエーシス

――18世紀イギリス美学の諸相――

相澤照明

鳥影社

オールド・カールトン墓地（エディンバラ）に立つロバート・アダム設計による
ディヴィッド・ヒュームの霊廟
（第１章、第３章参照、著者撮影）

ワイ川の川面に映るティンターン修道院
（81、107、111 頁参照、著者撮影）

クロード・ロランの
鏡／色ガラス〔クロード・グラス〕
（94 頁参照、著者撮影）

共感・ピクチャレスク・ポイエーシス
——十八世紀イギリス美学の諸相——

目次

第一部　共感

第一章　共感の生起と射程について

——デイヴィド・ヒューム美学構成への一視点——

序

二十世紀英米批評の開拓者とも言うべきI・A・リチャーズは、所謂《いわゆる》ニュー・クリティシズムばかりでなく、それに対立して起こったフィッシュたちによる読者経験を研究の中心領域に据えた批評にも大きな影響を与えているが、そのリチャーズの思想的根幹を形成した人物の一人としてS・T・コウルリッジが挙げられる。そしてロマン主義以降のイギリス美学、とりわけ文藝批評を語る時、この詩人であり鋭い批評眼をもったコウルリッジの影響を見逃すことはできない。ところでコウルリッジは自らの思想及び文学論の表明でもある『文学的自叙伝』（*Biographia Literaria*）の中で、「自分はここで観念（idea）という単語をヒュームの意味において用いる。というのは、それはイギリスの哲学者の間で一般に通用しているからである」[1]と述べている。この言葉は彼に与えたヒュームの影響を明瞭に示しているが、それは単に観念という概念に止まらず、カリッチ（Kallich）の指摘するように[2]、想像力の概念においてもヒュームは後代に大きな影響を及ぼしているのである。しかしながら、ヒュームは美学上の影響を直接的には後代にそれほど与えはしなかった[3]。実際、ヒュームには美学を主題として扱った大著はない。一七五七年に匿名で出版された『四つの論考』(*Four Dissertations*)の中に含まれる「趣味の基準について」(Of the Standard of Taste)と「悲劇について」(Of Tragedy)の二篇の短い論考、そして若干のエッセイが美学に直接関わったものとして挙げられるにすぎない[4]。

このように分量から言えば美学上の著作は数少ないながらも、ヒュームの藝術とりわけ文学に対する関心は彼の生涯を貫いて存在していた。そのことは、死の直前にヒュームが自らの人生を振り返り綴った「我が生涯」(My Own Life)の中で、「私は非常に早くから文学への情熱に捉えられた。それは私の生涯を支配する情熱であり、また私の楽しみの大きな源であった[5]」と述べていることから明らかである。この文学(literature)とはモスナー(Mossner)の指摘するように広く哲学・思想を含む文筆一般を意味するのではあるが[6]、ヒュームの文学に対する関心の一端は、ウェルギリウスが彼の愛読書であったことから[7]、また所謂「医師への書簡」に述べられた「詩や文藝の作家[8]」(Poetry and the Polite authors)への傾倒からも窺える。そしてヒュームが美学に関わる考察を目指していたことは、一七三九年一月、二十七歳の時出版された『人間本性論』(*A Treatise of Human Nature*)の緒論に述べられた、「もし幸運にも成功するならば、私は続いて道徳論・政治論・批評論の検討に移ろう。それによってこの人間本性論は完結する[9]」という言葉に明瞭に示されている。イギリスで所謂美学という意味でaestheticsという単語が用いられるようになったのは一八三〇年以降のことであり[10]、ここで言われている批評論(criticism)が今日の美学と関わる領域を含むものである[11]。しかし全く無視されなかったにせよ顧みられることのほとんどなかったこの著作[12]、ヒューム自らの言葉に従えば「印刷機から死産した[13]」著作に対する反省から、ヒュームは翌一七四〇年に第三篇「道徳について」を出版して後、政治論も批評論も『人間本性論』の独立した一篇として公表することはなかった。そしてヒュームはそれ以後、政治・経済問題等を人々が受け入れ易いように主としてエッセイという形式で公表してゆくのであるが、その中で批評論に関わるものが既述の諸論考である[14]。

しかしながら、批評論を欠いているとはいえ出版された『人間本性論』においても、美・想像力という単語が優に三桁の数に達していることからも示されるように、美学の問題が閑却されたわけではなかった。但し美の問題が最も多く取り上げられている第二篇「情念について」においてさえ、美の考察は主題の性格上、愛や誇り等の情念と関連して断片的に認められるにすぎない。そこで我々は美の問題に直接的には関わらず、まず『人間本性論』の中で重要な位置を占める共感（sympathy）を取り上げることにする。というのも共感は情念論や道徳論ばかりでなく、美学と関わる問題を内包しているからである。本章では『人間本性論』の中で展開されるこの共感の概念を明確にし、さらに共感と美学との一接点を考察することを主たる目的とする。

一　共感の生起

ヒュームは彼の著作の中で繰り返し、完全な孤独は恐らく人間が受ける最大の罰であって、あらゆる喜びは仲間から離れ一人で享受する時には色あせたものとなり、あらゆる苦しみはより残忍で耐え難いものになる、と指摘している[15]。それ故、人間には仲間や社会をつくる顕著な欲求があり、他人と情念を共有することによって自らの情念を活気づける原理[16]としての共感が宿っているというのである。例えば、弦楽器の等しく張った弦の一本を爪弾けばその運動は共鳴によって残りの弦に伝達されるが、同様にすべての情念は一人の人物から他の人物に即座に移って、あらゆる人間にそれと照応する運動を生む[17]。従って、共感は「情念の伝達（communication of Passions）」[18]とも言い換えられ、この「共感という原理によって我々は金持や貧乏人の感情の中に入り込み、彼らの快や不快を共有する」[19]という。但し、我々は共感（sympathy）を日本語の同情や憐れみに対応するcompassionあるいはpityと区別して理解しておかねばならない。ヒュームによれば、憐れみとは他人の悲惨さに対する憂慮であるが[20]、それは根源的には人々に情念を共有させる共感という原理に基づいているのである。では、ある人物の情念はいかにして他の人物に伝えられるのか。

ヒュームによれば、「他人のいかなる情念も直接的に心に現れはしない。我々はその原因あるいは結果に気づくだけである」[21]。例えば我々が苦しむ者を見て共に苦しみを感じる時、他人の情念が心の中に隠れている限りそれは我々に何らかの影響を及ぼすことはできないのであり、我々はまずその人物が苦しんでいることに気づかなくてはならない。そのためにはその情念の結果から、つまり涙・叫び・うめき声等として顔つきや会話の中に現れる外的表徴（external signs）[22]からその人の内面の感情を推測しなくてはならないが、ヒュームにおいてはしばしば「行為・会話」と「性格・心・行為の動機」とは表徴（sign）と指示されるもの（thing signify'd）[23]として捉えられ、「会話は書物と同様に心の写し（transcript）である」[24]と述べられているところからわかるように、他人の内面の感情の推測は一種の記号の読解とみなされている。

一方、人はどんなに苦しんでいようが、その苦しみを外に表さない場合がある。その時我々は外的表徴を認めることがないとしても、その情念の原因からその人の内面の感情を推測することができる。例えば、ある立派な人物が世俗的に大きな不幸とみなされる状態に陥るなら、我々はその原因から通常の結果を想像し、彼の悲しみについての観念を抱くことができる[25]。

以上のように、我々は情念の結果あるいは原因から他人の情念についての観念を抱く。しかしその観念は単に観念に止まる限り我々の心を動かしはせず、「他人の感情がある程度我々自身の感情にならなければ、我々の心を決して動かすことはできない」[26]。つまり共感においては、他人がどのような感情を抱いているのかという観念が現実の感情に転換し、我々は他人と同一の感情をもつことが必要なのである。ではその観念はいかにして感情に転換するのであろうか。

　ヒュームの思想においては、心を成り立たせている観念の構成要素と印象の構成要素とは厳密には同じものであり、その違いは勢いと活気（force and vivacity）の程度上の差異に求められる[27]。それ故観念が活気をもつ時それは印象に近づき、ある感情についての生き生きした観念（a lively idea）はまさに感情そのものになる[28]。実際ヒュームの言うように、想像の力だけで病気や苦痛を感じ、病気について幾度も考えれば現実の病気となり[29]、狂気に至ることさえある[30]。このように生き生きと想うことが現実の感情を生み出すのであり、「共感とは……観念が想像の力によって印象に転換することにほかならない[31]」という言葉が示すように、ヒュームは想像力を共感の中心に位置付けているのである[32]。

　しかしながら、ヒュームによれば、まさに他人の現在の感情を感じるほどにその感情についての生き生きした観念をつくりあげることは、想像の大きな努力の成果であるが、ある人物に対する共感が想像によって拡大され、現在の瞬間に実在しない苦と快を感じるほどになるためには、「我々に生き生きとした在り方で印象を与える現在におけるある状況」によって援けられねばならない。すなわち、他人の現前する悲惨さが我々に力強く影響を与えるなら、想念（conception）の活気は単にその直接の対象に限られることなく、その影響をあらゆる関連ある観念にまで及ぼし、その人物のあらゆる状況についての、すなわち過去・現在・未来あるいは可能的・蓋然的・確実なあらゆる状況についての生き生きした観念を我々に与える[33]。しかし、もし現前する不幸が通常以上の力をもって衝撃を与えるなら、共感は未来に及ぶことはなく、また反対に、もし不快感がわずかであったり我々から遠く離れたりしているなら、それは想像を引きつけはしない[34]。このように他人の感情は我々から遠く隔たっている時はさほど影響を与えず、それが全的に伝えられるためには近接性（contiguity）の関係が必要とされるのである[35]。

そしてまた、人が他人の内面の感情を容易に想像し共感できるのは、人間が類似性（resemblance）を相互に共有しているからでもある。ヒュームによれば、身体の構成と同様に心の構成においても「部分の形や大きさがどれほど異なっていようと、構造や配置は一般に同じであり、あらゆる多様性の真っ只中に非常に顕著な類似性が保持されている[36]」。このような人間の類似性によって、人間は「想像に作用する点ではいかなるものにも勝る利点を有しており[37]」、さらに我々の風習・性格・国土や言語に特有の類似性（similarity）がある時……それは共感を容易なものとする[38]」。

二　共感の逆説

我々自身とある対象との関係が強ければ強いほど想像は生き生きしたものになる。「イタリアにいるイギリス人は友人であり、中国にいるヨーロッパ人は友人である。そして恐らく月で人間に出会ったなら、彼は人間というだけで愛されるであろう[39]」という言葉が示すように、人間は自分と何らかの関係ある者の心情をより容易に想像しその人物に好意を示す。しかしこのことを裏返せば、共感の逆説的一面が明瞭に顕れる。すなわち人間が相互に類似していればいるほど、あるいは近接している者に対して共感がより容易に生起するなら、共感の及ぶ範囲ははなはだ限られた狭いものとなってしまう。共感がより強くなればなるほど、それは身近なものに限られてくるのである。すなわち、「我々の心の本源的構えにおいては、最も強い注意は我々自身に限られ、次に強い注意は我々の親類と知人に及び、そして見知らぬ人や無関係な人に達するものは最も弱い注意にすぎないようにみえる」[40]。さらに時間的局面においても、「人間は未来より現在の生活を常に気遣う」[41]。ヒュームにとって、人間とは未来の最大の不幸よりも現在の最小の不幸を重大事と考える存在なのであり、そしてまた、共感と同様に利己心（selfishness）が人間本性に宿っていることも経験的事実であった。それ故、ヒュームは「人間の寛容（generosity）は非常に限定されており、友人や家族あるいはせいぜい母国を超えることはほとんどない」[42]、あるいは、「一般に、人類愛つまり単に個人的資質や奉仕や我々自身との関係から独立した人類愛のような情念は人間の心の中には存在しない、と断言できよう」[43]と述べるのである。

ところで、ここで我々は共感の原理と反対の原理として挙げられている比較（comparison）について一瞥を与えておく必要がある。ヒュームによれば、「あらゆる種類の比較において、ある対象がもう一つの対象と比較されるなら、それを直接的にじかに見た時にそれから生じるものと反対の感覚を我々は常に受ける」[44]。例えば、小さい事物は大きい事物と比較される時ますます小さく見え、美しい事物は醜い事物と並べられることによりますます美しくみえる。同様に、他人の快が我々の苦と比較されるなら我々はいっそう苦を感じ、反対に他人の苦は我々自身の快を増すことになる。

要するに、人間の利己心や限定された寛容、あるいは、自己と他人との比較から生じる嫉妬や優越感が、共感の本質的特徴である、快や苦の感情を他人と共有する傾向の妨げとなり、共感の及ぶ範囲を狭めてしまうのである。

しかしヒュームは、人間本性の性質の中で遠く隔ったものより現にあるものを好み、対象の本質的価値よりもその状況に応じて対象を欲求させる性質ほど、我々の行為に致命的な誤りを惹き起こすものはないことを見てとっていた。[45] すなわち、他のいかなる人間よりも自己を愛し、他人を愛する場合には親類や知人に対してより多くの情愛を抱くなら、ここから必然的に感情や行動の対立が生まれ、この対立は社会の結びつきにとって危険なものにならざるをえない。それ故、ヒュームにとっては、社会の共通の利益を守るための法的正義が重要な考察の対象となるのである。しかしここでは、我々はヒュームの法律論・政治論に関わらず、人間の遠いものより近いものに対して情愛を抱く本性的傾向が道徳的判断に対してなげかける問題に関わることにする。

三　共感と一般的視点

ヒュームによれば、道徳的判断は悟性によって判定されるものではなく、感じられるものである。「我々がある性格を有徳なものであると推論するのは、それが快を与えるからではない。それがある特定の仕方で、快を与えることを感じることにおいて、有徳であると実際に感じるのである。[46]」つまり道徳的善悪の区別は感情に基づき、ある特定の仕方で、快を与えるものが善と呼ばれ、苦を与えるものが悪と呼ばれる。

ところで前節で述べたように、共感は我々自身に対する注意よりもはるかに弱いが、我々から隔たった人に対する共感は近接した人に対する共感よりも弱い。さらに我々の状況は絶えず変化しているゆえ、人々の性格に関する判断が直接的な快や苦だけに基づくなら、それは非常に不安定にならざるをえない。ヒュームは「それ故その絶えざる矛盾を阻止し事物のより安定した判断に達するために、我々はある確固とした一般的視点に基づき、そして常に思考においては、我々の現在の状況がいかなるものでも、その視点に身を置く」[47]ことを主張する。例えば、勤勉かつ忠実である召使は歴史上のマルクス・ブルートゥスよりも強い愛情と好意の感情を喚起するかもしれないが、それ故前者の性格を後者よりも賞賛に値するとは言わない。というのは我々はブルートゥスを召使と同じ距離から眺めたなら、はるかに情愛と賛嘆の念が惹き起こされるのを知っているからである。[48]このように道徳的判断においては、対象を「ある共通の視点（some common point of view）[49]から眺めることが要求されるのであるが、ではいかにして我々は一般的視点に立ってある人物の性格を判断することができるのであろうか。

ヒュームは人間の心を鏡に喩えて次のように述べている。「人間の心は互いに鏡である。何故ならそれは互いの情動を反射し合うからばかりでなく、そうした情念・感情そして見解（opinions）という光線はしばしば繰り返し反射され、気づかれないほど徐々に衰えていくかもしれないからである。[50]」共感とは他人と同一の感情を共有することであるが、ここに明瞭に示されているようにそれは単に感情に限定されず、さらに判断や考え方を共有することでもある。[51]ヒュームによれば、想像力によって我々は他人の立場に立つことにより他人に現れるのと同じように我々自身を眺め、我々は他人が考えるのと同じように他人を考える。[52]このように他人の立場に立つことによって、我々の感情や考え方は全く変えられてしまうに至らないとしても、安易な考え方は修正され、我々は個人の視点を離脱して一般的視点に立つに至る。かくして共感とは感情や考え方の力動的契機であり、「非社会的な個人的感情から社会的感情の生まれてくるプロセス[53]」を生じさせるものなのである。従って、ブリュネ（Brunet）が指摘するように、共感は価値判断の地平において情動的主観性と理性的客観性の間の一種の仲立を構成するものと言える。[54]

このことと対応して、ヒュームのテキストの中に、異なる傾向をもった共感の用例が見いだされる。sympathy という単語は修飾語を伴われずに用いられていることが多いが、しかしながら a stronger and more immediate sympathy,[55] an immediate sympathy,[56] sympathy, which is immediate and direct[57]、あるいは「安易な共感とそれに照応する情動だけが関係と知己と類似に共通する[58]」における an easy sympathy という語句に対して、the extensive sympathy,[59] a remote sympathy,[60] that［i.e. sympathy］which is remote and indirect[61] という語句が使用されており、ヒュームの視座においては明瞭に二つの共感が想定されている。「直接的な」(immediate) とは現前する直接的な印象に関わることを意味し、一方「広汎な」(extensive) あるいは「遠い」(remote) という単語は想像力によって隔ったものに関わることを意味しており、従って前者の共感は自然的で身近な者に限定される個人的共感であり、後者は見知らぬ人の徳に対しても賞賛の情を抱くことができる社会的共感である、と考えられる。要するに、共感は人間が本性的に所有している原理であるが、もし安易なものにとどまり反省を伴われないならば、それは身内や近親の者に限られる利己的感情あるいは集団エゴイズムを惹き起こすことになりかねないことを、ヒュームは見抜いていたのである。

では、ヒュームの美に関する思想の中で、共感はいかなる働きをするものとして捉えられているのであろうか。

四　美と有用性

「我々が動物や他の対象において賛美している大部分の美は、便利さ (convenience) と有用性 (utility) の観念に起因する。[62]」この功利主義的色彩を帯びた美についての思想は、ヒュームにおいて最も特徴的な一側面である。しかし、「有用なもの、美しいもの、あるいは驚異的なるものすべては、ある別個の快 (a separate pleasure）を生じさせる点において一致するが、ほかの点で一致するところは何もない[63]」と述べられていることが示すように、ヒュームは美と有用性を明らかに異なるものとして捉えていた。実際、彼は美が単に有用性の観念にのみ関わると考えていたわけでもなかった。

ヒュームの基本的な哲学的立場に従えば、美は色彩や音や味や匂等と同様に対象に独立して存在する性質ではない。快を与えることが美の顕著な特性であり、「苦と快を生み出す力が……美と醜の本質をなしている[64]」。但し、対象の中には本性的にそのような特定の感じ（feeling）を生み出すのに適した性質があることを、ヒュームは認める。従って、あらゆる可視的な対象の美はある快を生み出すのであるが、その快は単に対象の有用性の観念に起因するばかりでなく、「時には対象の単なる形象（species）と外観（appearance）に起因する[65]」。つまり、対象の与える直接的な快（immediate pleasure）[66]も美の大きな部分を占めているのである。

では次に、有用性とは何を意味するのであろうか。有用性という単語は『人間本性論』の中ではそれほど頻繁に用いられていない。有用性はヒュームが自己の著作の最高傑作とみなしていた『道徳原理研究』（*An Enquiry concerning the Principles of Morals*）の中でより重要な概念となっており、彼はその中で有用な性質を他人にとって有用な性質と所有する者にとって有用な性質とに分け、それぞれに章を与えて論じている。二、三の例を挙げるなら、仁愛（benevolence）や正義（justice）のように社会に役立つ徳は前者に属し、慎重さ（discretion）・勤勉（industry）・誠実（honesty）・精神力（strength of mind）等は所有する者にとって有用な徳であり後者に属する。そしてヒュームは有用性について次のように述べている。「有用である（useful）とは何であろうか。一体何に対して有用なのであろうか。確かに誰かの利益（interest）のためではあるが、では誰の利益なのか。我々自身の利益のためばかりではない。というのは我々の是認は往々にしてさらに広がりをもつからである。それ故それは是認される性格あるいは行為が役立つところの人々の利益であるに違いない。そしてこれはどんなに遠く離れていようが我々と全く無関係であるわけではない、と結論づけることができよう。[67]」この文章が含意しているように、有用性とは単に個人における有用性ではなく、究極的には「人間社会の利益と幸福」に役立つものを指している。以上の見解は道徳と関連して述べられたものであるが、『人間本性論』の中では美と関わる有用性の観念として、人間や動物における力強さ(strength)と敏活さ(agility)・柱の安全性(security)・畑の肥沃さ(fertility)等が挙げられている。[68]これらの多様な概念からも明らかなように、ヒュームにおいて有用性とは非常に広い意味内容をもっており、ヒプル(Hipple)の指摘するように「幸福の手助けとなるものはすべて有用である[69]」と捉えることができる。

では、このような有用性の観念を与える対象が美しいと感じられるのは、一体いかにしてなのか。ヒュームによれば、「ある対象がその所有者に快を生む傾向をもっている場合、その対象は常に美しいとみなされる[70]」。つまり、ある有用な対象はその所有者に快を与える傾向を有する。例えばブドウやオリーブの木でおおわれた丘は肥沃さあるいは価値(value)と関わり、それは富や喜びや豊かさと結びついている点で、その所有者に満足を与える。そしてそのような対象は見る者(beholder)にとって常に美しいとみなされるのである。但し、注意しておかねばならない点は、道徳感情と類比的に美の感情が語られている箇所で、ほとんどの種類の外的な美(external beauty)に関する判定においては「形象や外観」及び「人類そして個々人の幸福への傾向の反省」という原因(causes)が交錯している(intermix'd)と述べられている点であり[71]、この点から判断するなら、ブドウやオリーブの木でおおわれた丘が美しいとみなされるのは、それが有用性の観念を我々に伝えるからだけではなく、その丘の景観が感覚にとって直接的に快適である(agreeable)ことにもよるのである。しかしながら有用な対象がその所有者に快を与えるとしても、その有用性を現実に享受する見込のない者、あるいは、それを単に眺める者にも有用性の観念に起因する快を与え、それが美しいとみなされるのはいかにしてなのであろうか。ヒュームは家屋の便利さについて次のように述べている。「便利なものを見ることは快を与える。何故なら便利さとは美であるから。しかしそれはどのように快を与えるのだろう。確かに我々自身の利益は少しも関わっていない。そしてこれは言わば形の美ではなく利益の美(beauty of interest)であるから、我々は伝達によってのみ、つまり我々が家屋の所有者と共感することによってのみ、それは我々に喜びを与えるに違いない。[72]」つまり、肥沃な畑やすぐれた技術をもって造られた城塞が美しく感じられるのは、その所有者あるいは住民の幸福感を我々が想像の活気によって共有するからなのであって、ブルニウス(Brunius)の端的な言葉を借りるなら、「ヒュームにとって共感は美と有用性との関係を述べるために用いられている[73]」のである。

では、有用な対象を美的に観賞するために、何故我々はその所有者に共感する必要があるのか。ヒュームの情念論の基本的主張の一つは、あらゆる価値・性質・利点・有用なものは我々自身と緊密な関係を有するならば、我々に美の感情ではなく誇り(pride)を生じさせる点にある。また、もし他人が有用な対象を所有しておりその人と我々自身を比較するなら、嫉妬や悪意の情をかきたてられることになりかねない。それ故有用な対象が美しいと感じられるためには、我々は自己の状況を捨象した「観察者(spectator)[74]」になることが求められる。ヒュームは「ある建物が見た目に不格好で倒れそうに思える時、たとえ技術の確固さを我々が十分に確信していたとしても、それは醜く不快である[75]」と述べているが、この言葉は、美や醜の感情は対象の実在に関する我々の個別的で一時的な信念(belief)からではなく、「事物の一般的眺め(the general views of things)[76]」から生じることを示している。そしてそのような一般的眺めを得るために、我々は観察者とならねばならないのである。勿論、現実の情念と美の感情は往々にして破壊し合うことなく対立し合うこともあり、ヒュームによれば、我々は敵の都市の城塞を完全に破壊することを願望できるとしても、それは力強さゆえに美しく感じられる[77]。そして我々がこのような敵・味方の関係を、つまり我々の個別的な状況を捨て去るために、共感が重要な役割を果たす。「共感においては、我々自身はいかなる情念の対象でもなく、我々の注意を自己に固定する何ものもない[78]。」すなわち、共感とは「我々を自己の外に遠く連れ出す原理[79]」であって、共感することによって我々は脱個人化した者の目をもって、つまり、他者の視点から対象を眺めることができるというのである。

しかし、我々が共感する有用な対象の所有者あるいは住民とは、現実にそれを享受している人物である必要はない。ヒュームによれば、誰も住みはしないだろうと分かっていても便利な家屋は我々に快を与え、住む者がいないとしても肥沃な土壌や快い風土は我々を喜ばせる。つまり、「ある対象がそのすべての部分においてある快適な目的を達成するのに適している場合、たとえその効力を十全に発揮させるための何らかの外的環境が欠如していても、その対象は本性的に快を与え、美しいとみなされる[80]」。つまり、ヒュームの言う有用性の観念に起因する美の感情とは、有用な対象が現実の特定の所有者ではなく所有者一般、すなわち人間一般に与えるであろう幸福感を我々が活気ある想像によって共感し分有する感情、言い換えるなら現実の情念というより「情念の淡い影とイメージ (the faint shadows and images of passions)[81]」なのであり、それはまさに想像力を本質的な契機として生じる感情なのである。

結び

ヒュームの情念及び道徳に関する思想において、共感は重要な位置を占める。共感とは、人々が想像力によって他人の立場に立ち、相互の感情や考え方を共有することを可能なものとする原理であるが、それは利己心などによって阻まれ利己的感情を生じさせることにもなることを、我々は第一節及び第二節で明確にした。しかし共感は反省を伴うことによって見知らぬ人あるいは社会へと及び、価値判断における一般的視点に人を導くことを第三節で、さらに人々は有用な対象がその所有者に与えるであろう幸福感を共感によって共有し、その時その対象は美しいとみなされることを第四節で明らかにした。かくしてヒュームの功利主義的色彩を帯びた美の思想は、まさに美と有用性と想像力と共感の不可分的統合として捉えることができるのである。[82]

注

（1）Samuel T. Coleridge, *Biographia Literaria*, 1817, Everyman's Library, 1967, p. 57.

（2）Martin Kallich, *The Association of Ideas and Critical Theory in Eighteenth-Century England*, Mouton, 1970, p. 94.

（3）Walter J. Hipple Jr., *The Beautiful, The Sublime, and The Picturesque in Eighteenth-Century British Aesthetic*

Theory, The Southern Illinois U. P., 1957, p. 37.

（4）この他に Of the Delicacy of Taste and Passion, Of the Rise and Progress of the Arts and Sciences, Of Simplicity and Refinement in Writing, Of Refinement in the Arts, Of Eloquence, Of Essay Writing 等数篇を挙げることができる。これらはすべて T. H. Green & T. H. Grose（eds.）, David Hume, *The Philosophical Works*（以下 *PW*. と略）4 vols., 1882（1964）に収録されている。本稿では、L. A. Selby-Bigge/P. H. Nidditch（eds.）, *A Treatise of Human Nature*, Oxford, 1978（以下引用出典の明記していないものはすべてこの著作による）及び同右編の *Enquiries concerning Human Understanding and concerning the Principles of Morals*, Oxford, [3]1975（以下 *E*. と略）によった。

（5）*PW*., vol. 3, p. 1.

（6）Ernest C. Mossner, Philosophy and Biography: The Case of David Hume, *Philos. Rev*., 1950, p. 190.

（7）*PW*., vo1. 3, p. 2.

（8）John H. Burton, *Life and Correspondence of David Hume*,1846, Burt Franklin 所収の A Letter to a Physician による。

（9）p. xii.

（10）*OED* の Aesthetic の項目。

（11）Hipple, op. cit., p. 38.

（12）『人間本性論』が全く無視されたのではなく、むしろヒュームの革新性を理解できなかった書評が幾つか現れたことを、モスナーは指摘している。E. C. Mossner, op. cit., p. 195.

（13）*PW*., vol. 3, p. 2.

（14）ブルニウスはこれらのエッセイを未完の『人間本性論』の断片とみなしている。Teddy Brunius, *David Hume on Criticism*, Almqvist & Wiksells, 1952, p. 37.

（15）p. 363. cf. p. 353, *PW*., vol. 3, p. 259.

（16）p. 363. cf. p. 618.「共感は人間本性における非常に強力な原理である。」美学会例会の席上、今道友信教授より、ヒュームにおいて原理（principle）としてほかにどのようなものが挙げられているかとの御質問を戴いた。経験論者ヒュームにとって経験や習慣こそ何より原理として捉えることができるのであるが、テキストの中では reason・imagination・passion のような心的機能について、contiguity・resemblance・causation のような観念連合における基本法則について等、様々なレベルで原理という言葉が使用されている。以下重要と思われるものを列挙する。comparison・interest・natural appetite between sexes・humanity・pleasure and pain 等。

（17）p. 576.

（18）p. 398 etc. 単に一者から一者への伝達ではなく、後述する鏡の比喩に示されるように相互に伝達し合うことであり、究極的には社会がある感情や考え方を共有することを意味する。

（19）p. 362.

（20）p. 369.

（21）p. 576.

（22）p. 317.

（23）p. 479. cf. pp. 151, 317, 477, 575.

（24）p. 611.

（25）p. 370 による。

(26) p. 593.

(27) pp. 1, 319, etc.

(28) ヒュームは印象を、肉体の快や苦を含む感覚の印象（impressions of sensation）とそれから直接的・間接的に（反省を介して）生じる悲しみや喜びの情念のような反省の印象（impressions of reflection）に区分する。ここで問題となるのは後者である。

(29) p. 319.

(30) p. 123.

(31) p. 427.

(32) 想像力と共感を結びつける思想は、この時代のスコットランドの学者及び批評家に一般に認めることができる。cf. Walter J. Bate, The Sympathetic Imagination in Eighteenth-Century English Criticism, *ELH* 12, 1945, p. 148.

(33) p. 386.

(34) p. 388.

(35) p. 318.

(36) p. 318.

(37) p. 359.

(38) p. 318. cf. p. 317.「類似性は共感から生じる。」

(39) p. 482.

(40) p. 488.

(41) p. 525.

（42）p. 602.

（43）p. 481.

（44）p. 594. 以下の例は pp. 375-76.

（45）p. 538.

（46）p. 471. 道徳判断の根拠を感情に求めた点で、ヒュームはシャフツベリやハチスン等の道徳感覚派に与するが、彼は判断の普遍性を彼らとは異なり共感を用いて説明した。ヒュームの共感論の歴史的位置づけに関しては、Glenn R. Morrow, The Significance of the Doctrine of Sympathy in Hume and Adam Smith, *Philos. Rev.*, 1923, pp. 62-65 が参考になる。

（47）pp. 581-82.

（48）p. 582.

（49）p. 591.

（50）p. 365.

（51）cf. pp. 319, 592.

（52）p. 589.

（53）L. A. Selby-Bigge, Introduction of *E*, p. xxvi.

（54）Oliver Brunet, *Philosophie et Esthétique chez David Hume*, A.-G. Nizet, 1965, p. 278.

（55）p. 601.

（56）p. 604.

（57）p. 616.

(58) p. 354.
(59) p. 586.
(60) p. 450.
(61) p. 616.
(62) p. 299.
(63) p. 301.
(64) p. 299.
(65) p. 617.
(66) p. 615.
(67) *E.*, p. 218.
(68) pp. 299, 364-65, 450, 576, 615.
(69) Hipple, op. cit., p. 41.
(70) p. 576.
(71) pp. 589-90.
(72) p. 364.（傍点筆者）
(73) Brunius, op. cit., p. 44.
(74) p. 364.「『観察者』は個人を超えた抽象的一般者ではなく、何人も人たる限りみづから『観察者』たり得るのであり……」山崎正一『ヒューム研究』創元社、昭和二十四年、一八〇頁。
(75) p. 586.

（76）p. 587.
（77）pp. 586-87.
（78）p. 340.
（79）p. 579.
（80）p. 584.（傍点筆者）
（81）p. 450.
（82）この四つの概念が密接な関連を有することは、夙《つと》に Raymond Bayer 他によって指摘されている。本稿はこれらの中の共感を主題として、より包括的視点から述べることを目的とした。但し、藝術作品の享受における共感の役割に関して、『人間本性論』やA・スミス宛の書簡、特に「悲劇について」の中に示唆に富む言述が見いだされるが、この問題に関しては、本書第二章及び拙稿「悲劇の快について――D・ヒュームの悲劇論とその周辺――」『群馬県立女子大学紀要　第六号』一九八六年三月参照。

第二章　共感・模倣・変身

――十八～十九世紀初頭のイギリスにおける共感論と創作論の接点を求めて――

序

シャフツベリは、〈人が変わる〉ことについて、次のように述べている。「我々の顔色や姿形が変わったからといって、我々が変わってしまうわけではない。しかし、何かが完全に変身し転換してしまうなら、そのことによって現実に我々は変容し消失してしまう。そういった何かが存在している。」その答えとして、彼は、「外見」ではなく「思想や気質、情念や感情や意見」（つまり我々の内面性）が突然以前とは全く異なってしまうとしたら我々は「別の存在」になる、と述べている。[1] 我々は同一の自我を保ち続けていると思っているが、実際は、精神面において日々変化している存在なのだ、ということをシャフツベリは言わんとしたのであるが、それでは、自分の体をもちながら他人の性格や感情をもつようになったら、私は別人になってしまうのであろうか。無論そんなことは現実にはありえない。しかし、作家は、創作にあたって、誇大妄想であるにせよ、登場人物に自分の意識を占有されてその人物になりきってしまうこともある。例えば、フローベールは、ボヴァリーが毒で死ぬさまを描いた時、はっきりと砒素の味を舌で感じ、自分自身も本当に中毒状態に陥って、たて続けに二度消化不良を起こしたという。[2] それほど極端な例は数少ないとしても、作家はある種の創作にあたって、たとえ一瞬間であろうとも、本来の自分とは異なる他人体験をしていることもあるのではないか。

以上が本章の根底にある問題意識であるが、ここでは、十八世紀から十九世紀初頭のイギリス美学思想を巨視的に眺め、共感と模倣という一見するとさほど関わりがないように思える二つの概念相互の間に通底する〈変身〉の契機を探り、作家の他人体験について論じることを狙いとする。

一 共感における変身

経験論において出発点となるのが個々の感覚印象であり、従って個の集合の問題こそ、経験論の克服せねばならない重要な課題となった。十七世紀にニュートンは、物体と物体の結びつきを万有引力によって説明したが、そうした科学思想の影響もあって、[3]ディヴィド・ヒュームは、個々の観念の結びつきを観念連合法則によって、また、社会における人と人との結びつきを共感によって説明しようとした。すなわち、ヒュームが社会を眺めた時、目にしたものは、人は理性ではなく感情に衝き動かされて行動に走るという事実であり、また、人は他人の感情に大いに左右されるという事実であった。感情へのそうした関心から、彼は、共感を人間相互の感情の伝達（communication）と捉えたが、他方、感情だけではなく趣味や道徳に関する考え方や見解も共鳴されることによって広まってゆく点に注目し、共感こそある社会の趣味判断や道徳的判断の基準の形成にも、そしてまた、国民性の統一にも寄与すると考えたのである。[4]後に、ケームズ卿ヘンリー・ヒューム（Henry Home）[5]は、全く同様の意味で、共感を「人間社会のセメント（cement）」と呼んだが[6]、その他にも、当時、共感のこの作用には、類似化（assimilation）、融合（coalescence）などの名称が与えられている。

しかし、ディヴィド・ヒューム以降の共感論には、その他にも幾つかの重要な論点が見いだされる。その最も重要な点は、共感と想像力との関連性である。ヒュームは、相手の気持ちを想像することが共感の基底にあると主張したが[7]、この想像力と共感の結びつきは、その後の共感論のメインテーマとなった。例えば、ジョンソン博士は、一七五〇年の『ランブラー』誌上で、他者の幸せや苦難に対して感じる一切の喜びと悲しみは想像の作用によるとして、ヒュームの用語を用いて、想像力は他人の「立場に我々を一瞬間立たせる」[8]と述べ、アダム・スミスも、『道徳感情論』（一七五九年）で、同様の言い回しを用いて「我々は想像力によって［兄弟の］立場に身を置き、言わば彼の肉体の中に入り、ある程度彼と同一人物になる」[9]と述べ、〈想像の上で立場を替えること（imaginary change of situations）〉という有名な共感説を展開したのである。ここで我々が注目したいのは、「ある程度彼と同一人物になる」という言葉にも、また以下の一節にも示唆されているように、自分が他人になりきってしまうという変身の契機が共感には含まれる点である。「諸君が一人息子を亡くしたことでお悔やみを言う場合、諸君の悲しみに入り込むために、こうした性格と職業をもった人物である私は、もし私には息子がいてその子が不幸にも死んでしまったならなんとつらいのかと考えるのではなく、私が実際に諸君だったらなんとつらいのかと考えるのであり、私は諸君と境遇だけでなく、人となりや性格までとり変えてしまうのである。」[10]ごく一般的に変身と言えば、ゼウスから仮面ライダーに到るまで、自分の姿形などの身体的特徴や能力が自分とは全く別のものに変わってしまうことを指すが、しかし、他者の心になってしまうというのであるから、共感を精神的変身（変心）の原理と呼ぶこともできよう。実際に、コウルリッジも、他人に共感しその人になりきってしまうことを mental metamorphosis と呼び[11]、ウィリアム・ハズリットも「心が transform される」という言い方を用いている。

他方、共感に伴う身体的側面性も注目された。既にホラティウスは、「笑顔を見れば自分も笑い、泣き顔を見れば自分も泣きたくなるのが人間性というものでしょう[12]」と述べていたが、十八世紀において観相術(physiognomy)への関心の高まりとともに[13]身体性を伴う共感作用が注目されるようになり、例えば、エドマンド・バークは、共感論の文脈において、他人の表情や動作を模倣することによってその人の気持ちを理解できると考えたカンパネッラの例を挙げている[14]。また、アダム・スミスは、誰かが殴られそうになった時、我々もまるで自分が殴られるような気持ちになって身をすくめることや、高いロープの上で演技をしている藝人を見ると、観客もはらはらしながらその藝人の姿勢を真似ることを指摘しているが[15]、後にドゥーガルド・ステュアートは、欠伸や人真似(mimic)やスミスのあげた綱渡りなどを例にとって、こうした身体的・精神的な共感(physico-moral sympathy)を共感的模倣(sympathetic imitation)と呼び[16]、この情念を「他人の様子や物腰を真似ることによって、真似する人の心の中に生まれる変容(metamorphosis)[17]」と言い換えている。

以上からも、共感と模倣と変身の結びつきの一端は窺われるが、この〈自己が他者に変わる〉契機こそ、冒頭にあげた共感の結合力やセメント的役割といった〈人と人とを結びつける〉契機とともに、共感概念の本質的な核を形成するものと言ってよい。スミスのいう「(立場を)替えること(change)」にせよ、バークのいう「交換(substitution)」にせよ、共感における変身的契機を指摘したものに他ならない。

しかし、我々が共感によって他者の心と一体化するとしても、ヒュームやスミスの言うように、それはごく一瞬のことでしかないし、また、我々はすべての感情に共感するわけでもない。当時、他者の悲しみや苦しみに対する共感は同情(compassion)や憐れみ(pity)、楽しさや喜びに対する共感は祝福(congratulation)

と呼ばれており、[18] 苦楽いずれの感情の共有も共感の中に入れられていたが、例えば、ジェームズ・ビーティーは、「激しい怒り、嫉妬、妬み、悪意、他の血なまぐさい不自然な情念と共感することはない」[19] ことを指摘した後で、次のように述べている。「我々は、是認できない感情や体験したことのない感情に共感する傾向はない。貯蓄を盗まれたけちんぼ、立派な晴れ着をよごしたしゃれ者、嘘がばれた高慢なきざな奴、お似合いの男性と駆け落ちした娘をもつ冷淡な親の苦悩は、同情よりも笑いを引き起こしがちである。[20]」当然共感を誘うような苦悩にしても、冷酷な人が苦しむのを見て我々はそれを当然の報いと思うだろうし、逆に、反社会的な感情である怒りにしても、最初は憤る人に反発を感じても、その憤りの原因を知ることによって我々はその人と共に怒り、彼の憤りの原因をつくった人に反発を感じることはあるわけで、[21] つまるところ、共感は苦悩したり怒ったりしている人についての人格的判断を抜きにしては語れないものとして、我々の倫理観と深く結びついている、というのである。共感は社会集団をまとめる〈セメント〉的役割をもつが、逆に、そこにおいて既に確立され我々の精神性を形成している倫理的規範や文化的状況によって規制されると言ってもよい。

無論、ヒュームの言う「直接的な共感」、あるいは、シェーラーの言うような「感情伝播[22]」に類する共感においては、倫理性を抜きにしても共感は生じうる。例えば、リチャード・ペイン・ナイトは、シャイロックの憎悪の念や悪意に対してさえ、我々はそのすさまじいばかりのエネルギーに共感すると述べているが、[23] そのような意味において、確かに我々は悪人の発する凄みや力強さに共感することはあるだろう。しかし、一般的には、日常生活においても演劇の鑑賞においても、我々は極悪非道なことを行い語っている時の悪人の残虐な感情に反感をもつことはあっても共感することはめったにない。

では、我々はそうした是認できない感情、邪悪な感情に共感することは全くないのであろうか。例えば、役者は、たとえ役柄の人物像に嫌悪感をもつとしても、彼の感情や悪意を理解し、それを動作や言葉で表現しなくてはならないであろう。[24] しかし、ここで考察したいのは、作家が悪人として言葉を語る場合である。確かに、一方において、劇作家には、悪人の憎々しさを客観的に見据えて描き出す才能や、観客にあえて反感を感じさせるためのストラテジーも必要である。しかし、登場人物に直接話法で語らせる小説家にせよ劇作家にせよ、悪人とはこういうものだと類型的に認識しているくらいでは、凡庸な科白しか悪人に語らせることはできないのであって、真に迫った言葉を悪人に語らせるためには、少なくとも創作の一瞬間、その悪人の性格にならねばならないのではないか。例えば、T・S・エリオットは、「詩における三つの声」において、野外劇『岩』から『寺院の殺人』などの劇の創作に際して、自分自身を語る抒情詩人の声とは全く別の演劇的な声で語る必要性を痛感し、誰もが反感以外の何ものも感じえないような悪玉を完璧にリアルに表現する困難性を認めながらも、劇作家は「全く共感できそうもない人物に、共感せねばならない」と述べている。[25] 全く同様に、十八世紀においても、万人に対する作家の共感力は多々賛美された。しかし、この点に関しては、共感という語の他にも模倣という語が用いられた。共感的契機を内に含み、変身概念と関わるような模倣概念が存在していたからである。次に、この点を探ることにしよう。

二　描写と劇的模倣

十八世紀には、性格や情念も模倣の対象とされた。その一つの理由として、アリストテレスの影響に加えて、人間の性格や情念も人間的自然（本性）(human nature) の一部なのであるから、性格や情念の模倣も自、然の模倣に入る、と考えられていた事情もあった。[26] ここでは、描写と対比的に用いられた〈情念の模倣〉に注目したい。例えば、ケームズ卿ヘンリー・ヒュームは『批評原論』（一七六二年）の中で、創作体験に関して「性格と内的情動を模倣し、それらすべての異なる色合いを跡づけ、適切に表現される自然の情感によって生き生きとそれらを描き出す才分[27]」、つまり巧みな感情表現こそ、享受者の没入体験を引き起こす原動力となると主張し、逆に、登場人物の感情を他人事のように描写する誤りを指摘している。また、アリグザーンダ・ジェラードも、描写と劇的模倣を対比させて、劇詩にみられる誤りとして、作家が、実際にある情念に動かされて言葉を語るのではなく、傍観者であるかのように他人の感情を描写する誤り、つまり「情念を自然に再現するのではなく、苦労した描写を与える[28]」誤りをあげている。劇作家は冷静に登場人物の感情を描写するのではなく、登場人物と同じ気持ちになってその感情を表現せねばならないというのである。

そうした主張に、ホラティウスの「もしあなたが私に涙を流させたいのなら、まず自分自身で悲しまねばなりません[29]」という一節の与えた影響の跡を見て取ることができるが、アリストテレスの『詩学』の注釈者としてドイツにまで英名を馳せたトマス・トワイニング[30]は、この感情表現の問題を模倣論一般の視点から語っている。彼は、ジェラードの『天才論』から約十五年後の一七八九年に刊行された『詩と音楽の模倣論二篇』の中で、絵画と彫刻は本来模倣的であるが、詩における模倣の意味は曖昧であるという観点から、詩における模倣を分類し、模倣が成立する条件として、原像と模像の間に類似性があることと、その類似性が明白であることをあげて、音、描写、虚構、役に扮すること（personation）の四つの模倣について考察している。[31] まず、詩的模倣の素材としての単語は、単なる音として、もしくは、意味を表す音や観念の記号としてみなされるが、実際に原像と模像の類似性を有しているのは前者（つまり、擬声語や擬態語）だけであるのに対して、後者は対象の明瞭な観念を我々の心に伝えるものとして模倣的であると言われる。トワイニングは、これを描写的模倣（descriptive imitation）と名付けているが、彼がそこで念頭に置いていたのは絵画的な模倣である。「この絵画的な描写を構成する観念が明瞭で生き生きとしており、自然物から受ける実際の印象に即していればいるほど、類似性は際だち、模倣は完全になるだろう。[32]」他方、トワイニングは、音に関しても描写的模倣を生み出すことがあると述べ、例えば、地獄の門を入った時遠くに聞こえる音の与える恐怖を描写したものとしてダンテの一節を引用し、[33]また、最も見事な描写的模倣として、情景描写を通しての感情描写、つまり「感知される対象の描写を通して」描きだされる「感情・情念や、他の心の内的動きや働きの描写[34]」をあげている。

しかし、いずれの描写的模倣も現実の印象に似た印象を与えるものとして多少模倣的であるのに対して、[35]厳密な意味において模倣と言えるのが、「役に扮すること」における模倣、つまり劇的模倣であるという。トワイニングはその具体例として、『アエネーイス』第四巻冒頭の、女王ディードーが妹アンナに、アエネーアースに対する愛の言葉を打ち明ける時の言葉を引用して、それはまさにディードーが語った情念の表現、空想上のものでもなくフィクションでもなく読者に同じ情念を強く感じさせる情念の表現であって、これこそ劇的模倣なのだと語り、次のように説明している。「我々が別人として語る時、我々は物真似師（mimics）となり、我々が伝える観念ばかりでなくそれを伝えるために用いる単語や言説も、模倣なのである。……これは悲劇詩人や喜劇詩人だけではなく、叙事詩人や歴史家にもあてはまるのであって、その場合、いずれもが自分自身の性格を捨てて、別人の性格になって話し言葉を書くのである。その時、彼は、厳密に言って、個人的な人真似と全く同等の模倣者なのである。[36]」行為の模倣ではなく、言葉の模倣、つまり作家が登場人物の性格になりきって言葉を語ることが、劇的模倣だというのである。[37]言うまでもなく、この〈別人の性格になって語る〉という模倣概念は、プラトンの『国家』第三巻のアパゲリアーとミメーシスとホメロス的叙事詩法の相違[38]、あるいはアリストテレスの『詩学』第三章の模倣の手法の違いに関して述べられている、叙事的詩と劇詩の区分を踏襲したものであり[39]、今日のナラトロジーにおいてもよく論じられている概念であるからさして目新しい主張とは言えないが[40]、しかし、トワイニングの模倣論は以下の点で注目に値する。第一に、それまでのイギリスでは模倣について実に多く語られてきたにもかかわらず、英語によるアリストテレスの『詩学』訳注はダシェのフランス語からの作者不明の英語訳（一七〇五年）があっただけで、原典からの英語訳は一七七五年のパイ（Pye）によるものがあったが、その直後に提出されたトワイニングの模倣説こそ、彼自身の十年にわたる原典研究の成果をふまえたものであった点[41]。第二に、当時の模倣説においては、ジョシュア・レノルズやエドワード・ヤングの説をみても分かるように、自然の模倣と古代人の模倣が主流を占めていた点。第三に、十八世紀における感情表現と模倣の関係が明確にされている点。最後の点について説明をつけ加えるなら、彼の劇的模倣概念には、二つの契機が交錯しており、一方は、引用文にあるように、作家が登場人物の性格となってその思っていること（つまり、観念）を言葉で語るという、作家と登場人物の間に成立する模倣（imitation）の関係であり、他方は、ディードーの例が示すように、読者に登場人物と同じ情念を感じさせるという、登場人物（あるいは作品）と読者の間に成立する表現（expression）の関係であって、その要として〈登場人物として語る〉作者の〈言葉〉が置かれているのである。それはヘンリー・ヒュームらの唱えた〈劇作家は情念に支配されている人のごとく情念を表現しなくてはならない〉という主張に含まれるホラティウス的〈修辞学的〉感情表現論と〈他者の性格になって語る〉という古典の模倣論とを結びつけたものであって、リーの言葉を借りるなら、まさに模倣論の〈ホラティウス的変容〉の一例と言えるものなのである[42]。

なお、トワイニングは、劇的模倣の中心的イメージを決定づけるものとして物真似（mimic）をあげているが、この単語の十八世紀的な意味に関して一言触れておくなら、mimicという語は、ジョンソンの辞書を見ても分かるように、当時の英語においては決して高級な意味をもっていたとは言えないが[43]、十八世紀末には、対象の理想化を目指すのではなく個人的特色を真似るものとして、理想美としての自然の模倣とは全く異なる個性の模倣を指して使われるようになった。*OED*は、mimicの動詞の意味として、対象を精密に再現するという意味で使われた用例の初出を一七七〇年としており、また、ステュアートは、真の役者にはmimicの能力、つまり対象の独自性(singularities)に対する周到な注意力が求められるが、同様に、写実的模倣能力をもった歴史画家は肖像画においても成功したであろう、と述べている[44]。トワイニングがmimicをindividual imitationと言い換えたのも、mimicが細部にこだわる個物の模倣を指して用いられるようになったからなのである。それは、レノルズが、一七七四年の王立美術院での講話で、荘重様式を重んじながらも、庶民の微細な表情を写実的に生き生きと描写したオランダ絵画を高く評価したのと、全く同様の傾向性の表れと言ってよい[45]。

以上、〈他者として語る〉という変身の契機を含む模倣論について論じてきたが、他者になるとは、当然、自己ではなくなることであり、従って、トワイニングは「自己の性格を捨てて」と語ったのである。しかし、当時の共感論や劇的模倣論においては既に、この〈無我となる〉ことの必要性は多々語られていた。例えば、ヒュームは共感を「我々を自己の外に遠く連れ出す原理」とみなして、共感において自意識が消滅する点に注目し、「共感において、我々自身はいかなる情念の対象でもないし、また、我々の注意を我々自身に固定するなにものもない」と述べており[46]、それ以前にもシャフツベリは『諸特徴』において、劇的模倣や対話などの概念を提起し、対話において我を没し去ることのできる詩人を褒め、ホメロスを偉大な物真似作家(mimographer)として絶賛していた。すなわち、我々は自意識を二つに分けそれぞれの自己を違った立場に置いて対話することによって、自我に固執した見方ではなく他者の立場に立った見方をもつことができるようになり、結局、人間についての認識を深めることができる。そのための方法として、シャフツベリは、劇的模倣や対話を重視したのであり、そうした能力に秀で人間についての深い理解をもって登場人物になりきり自分を登場人物に投射することがなかったからこそ、ホメロス自身は彼の作品の中に姿を見せないのだ、と語っている。(47)彼は、特に他者の感情を深く理解することが創作活動にとって必要不可欠であるとみなしたが、その後、他者になる契機としての共感や劇的模倣は創作論とますます深く結びつくようになる。

例えば、既に十八世紀後半から十九世紀初頭にかけて、共感能力や劇的模倣能力や対話能力や人間についての深い知見をもった作家として、シェイクスピアが絶賛されるようになる。エンゲルによれば、既に一六六四年にマーガレット・カベンディッシュはシェイクスピアの変身能力について語り、また、一七六〇年代から七〇年代にかけて、エリザベス・モンタギュ（一七六九年）、ウィリアム・リチャードソン（一七七四年）、モーリス・モーガン（一七七七年）らも同様の主張をしていたことを指摘しているが、(48)この傾向はロマン主義期になるとますます明瞭に表れるようになる。例えば、ウィリアム・ハズリットは、シェイクスピアが共感的な能力に秀で、他者になりきれる才能があったことを次のように語っている。「シェイクスピアの精神の目立った特質は、その包括性、つまり他のすべての人の心と交わる力にあった。……彼は誰かによく似ていたが、誰にも似ていなかった。彼はあたうるかぎり利己主義者のようなところはなかった。彼は自己においては無であった。しかし、他の人すべてであり、他の人がなりうるものすべてであった。(49)」また、コウルリッジも、シェイクスピアの想像力と「精神的変身能力」の見事さについて語っているが、(50)こうした登場人物に同化できる作家の才能は、森羅万象にまで同化できるロマン派詩人の共感能力や感情移入能力へと発展してゆくのである。[51]

三　夢の腹話術

我々はこれまで、〈他者になる〉あるいは〈他者として語る〉という主題をめぐって、共感や劇的模倣について語ってきた。しかし、作家は、物真似師（mimic）のように既に存在している他者を真似て語るわけではなく、自分自身が体験したものに想像で思い描いたものをからみつかせながら他者像を作り上げてゆくわけであるから、その他者は言わば作家の内部で成長してゆく他者と呼んでもよいであろう。ウィリアム・ハズリットは、mimic とは異なる新しい比喩によって、作家の分身としての他者像に具体的なイメージを与えようとした。

ここでは、二つの点に注目したい。第一点が無意識である。ハズリットは、哲学的思索というよりも文藝批評として綴ったエッセイの中で、想像力が最も自由に活動する場としての無意識に注目した。英語の unconscious という形容詞は、一七一二年にブラックモア（Blackmore）によって最初に使用され、「気づかずに」という意味で用いられたが、それに対して「自己の内部に存在しているとは認識されない」という潜在意識に似た意味で使われるようになったのは、かなり後の十八世紀末になってからのことである。[52]ハズリットは、後者の意味で unconscious という語を用いて、自分の夢遊病的な性質をめぐって以下のように語っている。「我々は時々、……人や物に関して、言葉にならない無意識的といってもよい感情を発見することがある。我々は、眠っている時は偽善者ではない。我々の情念から抑制が取り除かれ、我々の想像力は思いのままにさまよう。[53]」ハズリットは、夢を見ている時の我々の意識の在り方を「眠りながらのメタモルフォシス[54]」と呼び、この抑制された無意識的な印象の中には是認できない危険な感情もあるから、夢を見ている状態を利用するなら、手遅れにならないうちにそれを発見できるかもしれない、と後のフロイト的な精神分析の可能性を示唆しながら、他方、この無意識の中に、天才が利用できるありとあらゆる印象が隠されている、と述べている。「［シェイクスピア］は自分の中にあらゆる知的能力と感性の芽生え（germs）をもっていただけでなく、それらを直感的に予期してその考えられる微細な枝葉にまで入り込み、その運命の変転や情念の葛藤や新たな考えを辿ることができた。[55]」夢に現れるふだん意識されない印象は、波の泡あるいは去来する幻影（phantasmagoria）にも喩えられているが、しかしそうしたものは儚く忘れ去られてしまう印象であるのに対して、ここでハズリットが用いている芽生えという語は十八世紀の天才論のトポスであった植物の有機的成長の比喩、つまり消え去ってゆくのではなく明確な形をもって生成してゆく印象の比喩なのであって[56]、シェイクスピアの利用する様々なイメージは、植物の芽が自然に枝葉を出して成長してゆくように、「まるでひとりでに彼の頭の中で成長した」というのである。シェイクスピアは無意識的にイメージを膨らませることができた、という意味である。

ハズリットの活躍した時代からみるなら、彼の無意識説にさしたる新鮮味はないが、ここで第二に取り上げる「腹話術」の比喩は、この無意識と創作論とを結びつける要の役割を担っている。「腹話術師のような技によって、［シェイクスピア］は、自分の想像を自らの外に投影して、どんな言葉も、正真正銘それを語る人の口から出てくるように見せる。[57]」英語にVentriloquismという新しい形の単語が現れるのは一七九七年であり[58]、このことからも腹話術は当時イギリスで関心を引きつけていたことは推測できるが、事実、ステュアートも、『人間精神の哲学要論』再版（一八一四年）の中で、それまで哲学者の関心を引かなかった現象として腹話術をとりあげ、それと画家の技との類似性を示唆している。[59]つまり、絵画が視覚的な模倣であるのに対して、腹話術は言葉と声を用いた聴覚的な模倣だというのである。ハズリットが語っている腹話術も、〈他者として語る〉行為を具体的に例示した比喩にすぎないようにも思われるが、次の一節では、他者と私の関係が、夢の腹話術の例を通して鮮やかにイメージ化されている。「眠りにおいて奇妙なことは、我々は様々な人たちを見たり、彼らに語りかけたりしているように思っているだけでなく、彼らが我々に答え、我々を驚かせるような何らかの意見や知らせを語るのが聞ける点である。もちろん、我々が彼らに返答させるのではあるが、我々にはあらかじめその内容が分からないし、また、それは目覚めている時と同じくらい我々を驚かせる。我々が自ら行うこの手の見事な腹話術は、恐らくある程度は、眠りの特徴として先に述べた定かならぬ不完全な意識によると言える。[60]」ハズリットは、詩を夢に喩えて、いずれも我々の願望の表れなのであって一つの現実なのだと主張し、[61]さらに、シェイクスピアの対話はまさに我々が夢の中で行う会話にも似ていると述べていることからみるなら、シェイクスピアの腹話術の比喩をまさに夢の腹話術と類比的に捉えていたと考えてもよいであろう。[62]すなわち、夢の中に私とは異なる他者が現れ、私の全く予期していない言葉を語るとしても、その他者の言葉も結局のところ眠っている私の無意識的な腹話術的語りなのであり、それと全く同じように、シェイクスピアの生み出した様々な登場人物の語りも、実は、彼自身の無意識的腹話術の所産だというのである。夢を見ていることも知らずに夢を見ている聞き手としての私は、その夢に登場し私に語りかける語り手としての他者が、実はもう一人の私であることに気づかない――こうした夢の腹話術の比喩によって、ハズリットは、登場人物になりきって言葉を語りながらも無心になってそれに耳を傾けて書き留める作家の変身能力と創作活動のイメージを描きだそうとしたのである。

しかし、夢の腹話術の比喩で重要な点は、夢には様々な人物が入れ替わり立ち替わり登場するが、まさに劇においても全く同様な状況がみられる点である。すなわち、「劇的なるもの」とは、様々な人物の対立、つまり対話的状況から生まれるものなのであり、あるいはハズリットの言い方を用いるなら、劇においては「一人一人の登場人物が他の人物に対して一種の反発の核とならなくてはならない[63]」とすると、作家がたった一人の登場人物になりきって言葉を語ったからといってそこに劇的状況が生まれるわけではない。「[劇作家]」は、その本分を全うするためには、個々の登場人物に同化するだけではなく、次々とすべての登場人物の役を演じなくてはならない[64]」のである。その意味で、シェイクスピアは「自己を意のままに自ら選んだものに変容する能力」をもつ「人間の知性をもったプロテウスだ」というハズリットの言葉も[65]、「シェイクスピアは万物に完全に共感したが、しかし、同様に万物に公平であった[66]」という多少逆説めいた彼の言葉も、あるいは、シェイクスピアの精神的変身能力を讃えて「無数の心をもつシェイクスピア（myriad-minded Shakespeare）[67]」と呼んだコウルリッジの言葉も、その賛辞の対象は、無意識のうちに変幻自在に様々な人物になりきってその人物として語る、天才の多重人格的な変心能力に向けられていたと言ってもよい。

結び

劇作家は創作の一瞬間登場人物に共感する。無論、劇作家がすべての登場人物に共感することは難しい。エリオットも語るように、たった二時間そこそこしかその人物たちに舞台の上で生きることを許さない劇作家ならば、彼の描くすべての人物に深く共感できるかもしれないが、それは実行不可能な理想論なのである[68]。しかし、たとえ一瞬であろうとも作家が全身全霊を傾けてしまう作中人物もいるであろう。作家のこの変身／変心する自我とは、作品世界をあたかも現実の出来事として生きようとする自我であり、この変身的契機となるのが共感的想像力であった(69)。それに対して、作家の意識の中には、創作全体を見通す自我、藝術的関心に包まれた自我、あるいは、別の人格になりきっている自我を操り創作全体を見渡す超越的自我も存在する。十八世紀イギリスの思想家ジェラードは、創作全体を反省的に見渡すこうした能力を趣味能力と呼んだ(70)。

本稿は、十八世紀から十九世紀にかけてのイギリス美学を巨視的に眺め、創作における反省的契機と対立する契機を共感や劇的模倣といった概念の中に探り、無意識的に他者として語る行為をイメージ化した「夢の腹話術」の比喩に辿りついたわけであるが、そのいずれの概念も、いかに他者になりきって語れるかという精神的変身の問題と深く関わっていたのである。

注

（1）Anthony, Earl of Shaftesbury, *Characteristicks of Men, Manners, Opinions, Times*, vol. 1,1711, [5]1732, p. 284.

（2）デュルタイ『想像力と解釈学』（由良哲次訳、理想社、一九六二年、二七頁）による。この言葉の出典については諸説ある。

（3）David Hume, *A Treatise of Human Nature* (*THN*. と略), 1739-40, Nidditch (ed.), 1888, Oxford, [2]1978 では、attraction, gravity などのニュートンの影響を反映した自然科学的な用語が用いられている（p. 576）。但し、

sympathy という用語自体、元来、鉄や磁石などのような物体と物体の引き合う力などに対しても用いられていた。*OED* の sympathy の項目参照。

（4）cf. D. Hume, *THN.*, pp. 317, 582; *E.*, p. 182.

（5）Henry Home の発音は、従来邦語文献ではヘンリー・ホームと表記されてきたが、当時のスコットランドではヒュームと発音され、Home のほうが一般的な綴りであった。例えば、David Hume の父親は、Joseph Home と綴られている。cf. E. C. Mossner, *The Life of David Hume*, Oxford, 1954, ^{2}1980, p. 6.

（6）H. Home, *Essays on the Principles of Morality and Natural Religion*, 1751, Garland Publishing, 1983, p. 24.

（7）本書第一章「共感の生起と射程について」参照。

（8）Samuel Johnson, *The Rambler*, 13 October, 1750, W. J. Bate and A. B. Strauss (eds.), Yale U. P., 1969, pp. 318-19. エンゲルによると（James Engell, *The Creative Imagination*, Harvard U. P., 1981, p. 145）、想像力が我々を他人の立場に立たせる、という言い方を用いたのは、James Arbuckle である。

（9）Adam Smith, *The Theory of Moral Sentiments*, D. D. Raphael and A. L. Macfie (eds.), Oxford U. P., 1976, p. 9.

（10）ibid., p. 317.（傍点筆者）

（11）cf. S. T. Coleridge, *Table Talk*, March 15, 1834.

（12）Horatius, *Ars poetica*, *l*. 101.（久保正彰訳、河出書房新社、昭和三十五年）ステュアートもこの一節に注目していた。cf. Dugald Stewart, *Elements of the Philosophy of the Human Mind* (*Eph.* と略), 1792, ^{2}1814, in *The Collected Works*, Sir W. Hamilton Bart (ed.), Vol. IV, 1865, Gregg International Pub., p. 118.

（13）例えば *Conférence de M. Le Brun sur l'expression générale et particuliére*, 1698 も英訳され広く読まれた。cf. John Williams (tr.), *A Method to Learn to Design the Passions*, 1734, University of California, 1980.

(14) Edmund Burke, *A Philosophical Enquiry into the Origin of our Ideas of the Sublime and Beautiful*, 1757, Notre Dane U. P., 1968, p. 133.
(15) A. Smith, op. cit., p. 10, cf. p. 29.
(16) D. Stewart, *Eph*., pp. 139-40.
(17) ibid., p. 143.
(18) 喜びへの共感の存在を証明したのが、Joseph Butler である。cf. A. Smith, op. cit., pp. 43-46.
(19) James Beattie, *An Essay on Poetry and Music*, in *The Philosophical and Critical Works*, vol. 1, 1776, Georg Olms, 1975, p. 491.
(20) Beattie, ibid., pp. 492-93.
(21) cf. A. Smith, op. cit., p. 11.
(22) シェーラー著作集8『同情の本質と諸形式』白水社、一九七七年、五五頁以下参照。
(23) Richard P. Knight, *An Analytical Inquiry into the Principles of Taste*, 1805, [4]1808, Gregg International Pub., 1972, p. 339. ナイトは、崇高なものが与えるエネルギーへの共感に注目し、崇高と共感を結びつけている。
(24) 当時の演技論 Aaron Hill, *Essays on the Art of Acting*, 1746 は、Stewart によって要領よく紹介されている。Cf. *Eph*., p. 127 note.
(25) T. S. Eliot, The Three Voices of Poetry, 1953, in *On Poetry and Poets*, Faber & Faber, p. 95.
(26) cf. John Draper, Aristotelian 'Mimesis' in Eighteenth Century England, *PMLA* 36, 1921.
(27) H. Home, *Elements of Criticism*, 1762, Georg Olms, 1970, p.153.
(28) Alexander Gerard, *An Essay on Genius*, 1774, Bernhard Fabian (ed.), Wilhelm Fink, 1966, p. 169.

（29）Horatius, *Ars Poetica, l.* 102.

（30）cf. Draper, op. cit.

（31）Thomas Twining, *Aristotle's Treatise on Poetry and on the Original; and Two Dissertations, on Poetical, and Musical, Imitation*, 1789, Garland Publishing, 1971.

（32）ibid., p. 9.

（33）ibid., pp. 12-13.

（34）ibid., pp. 15-16.

（35）ibid., p. 19.

（36）ibid., p. 22.（傍点筆者）

（37）ibid., p. 22 note.

（38）in the character of another person という言い回しは、トワイニング自身によるプラトン『国家』篇の英訳にもでてくるが、ヒュームの共感論でも用いられている。cf. *THN.*, p. 579 etc. プラトン全集一一『国家』藤沢令夫訳、岩波書店、一九七六年、一九八頁参照。

（39）当該箇所の解釈については、アリストテレス『詩学』今道友信訳注、岩波書店、一九七二年、三二一―三三頁参照。

（40）Gérard Genette, *Introduction à l'architexte*, Seuil, 1979.

（41）*Aristotle: Poetics, translated with Mr. D'Acier's notes from the French*, London, 1705. cf. Draper, op. cit., and *The Eighteenth Century English Aesthetics; A Bibliography*, Octagon Books, 1931, 1968, p. 12.

（42）cf. Rensselaer W. Lee, *Ut Pictura Poesis: The Humanistic Theory of Painting*, 1940, W. W. Norton, 1967, p. 32.

（43）cf. S. Johnson, *A Dictionary of English Language*, 1755, AMS Press, 1967.

(44) Stewart, *Eph*., pp. 126-28.

(45) cf. Sir Joshua Reynolds, *Discourses on Art,* R. R. Wark (ed.), 1975, Yale U. P., pp. 103, 109.

(46) *THN*., pp. 579, 340.

(47) Shaftesbury, op. cit., p. 197.

(48) cf. Engell, op. cit., p. 154.

(49) William Hazlitt, *Lectures on the English Poets,* in *The Complete Works*（*CW*. と略）vol. 5, 1818, J. M. Dent & Sons, 1933, p. 47.（傍点筆者）

(50) Coleridge, *Table Talk*, March 15, 1834.

(51) cf. W. J. Bate, The Sympathetic imagination in Eighteenth-Century English Criticism, *ELH*, 12, 1945.

(52) 一八〇〇年のコウルリッジの用例が初出（*OED* 参照）。

(53) W. Hazlitt, *The Plain Speaker*, in *CW*., vol. 12, 1931, p. 23. 彼は直接的には Johann G. Spurzheim の著書 *The Physiognomical System* に対する反駁として、無意識の理論を語っている。Spurzheim（1776-1832）はドイツの骨相学者。

(54) Hazlitt, *CW*., vol. 12, p. 23.

(55) Hazlitt, *CW*., vol. 5, p. 47.

(56) この比喩は、ヤングやジェラードにみられるが、ドイツに関しては、Meyer H. Abrams, *The Mirror and the Lamp,* 1953, Oxford, 1977, Chap. 8, sec. 3 参照。

(57) ibid., p. 50.

(58) 古い形の ventriloquy は一五八四年初出（*OED*）。

（59）Stewart, *Eph.*, p. 173.

（60）Hazlitt, CW., vol. 12, p. 22.（傍点筆者）

（61）Hazlitt, CW., vol. 5, p. 3.

（62）ibid., p. 50.

（63）Hazlitt, CW., vol. 18, p. 305.

（64）ibid., p. 306.

（65）Hazlitt, CW., vol.8, p. 42.

（66）ibid., p. 42.

（67）S. T. Coleridge, *Biographia Literaria*, 1817, J. M. Dent & Sons, 1967, p. 175.

（68）T. S. Eliot, op. cit., p. 93.

（69）当時共感は想像力と結びついた概念として捉えられていた。sympathetic imagination という用語は、ベイト（Walter J. Bate）やワッサーマン（Earl R. Wassermann）等の今日の批評家によって使われてはいるが、論者の見る限り、当時一般に使われていたとは言い難い。

（70）A. Gerard, op. cit., pp. 377, 393, etc.

第三章　ヒュームのプライド論

——共感と比較の原理を視野に入れて——

序

ディヴィド・ヒュームは、『人間本性論』の第二巻「情念について」において、以下のように人間の本性を鋭く抉《えぐ》り出している。「陽気な人は陽気な人と、好色な人は好色な人と結びつく。しかし、プライド[1]のある人はプライドのある人に堪えられず、反対の性格をもった人たちとの交友を求める。……プライドや自画自賛は他人にとっては不愉快なこともあるが、自分自身にとっては常に快適である。他方、謙虚さはそれを眺める誰にも快感を与えるが、それに恵まれた人自身にとっては、不快なことも多々ある。[2]」しかしながら、陽気であるがゆえにもの静かな人に引かれ、好色であるがゆえに貞節な人を好きになることもよくみられる現象なのであるから、ヒュームの言葉をそのまま鵜呑みにすることはできないが、確かに、プライドのある人同士が互いに反目しあうのはいつの世にもみられることである。大国と大国の衝突も、人と人とのこぜりあいも、このプライドに根ざしている面が少なくない。ヒュームは共感という人と人とを結びつける契機に注目したが[3]、それ故なおいっそう、このプライドという人と人との対立を引き起こす反社会的な情念の本質を見極めようとしたのであろう。

無論、プライドは、古来、宗教・思想・文学・美術のいかんを問わず、実に広い分野で注目されてきたテーマであったが[4]、プライドを〈自我と他者〉あるいは〈観念連合と印象連合〉といった観点から合理的に語ろうとした点で、ヒュームは十八世紀的な視点を我々に提供している。それは、情念の領域において、ニュートン的な法則性を探ろうとした試みであったと言ってもよい。しかしながら、アーダルも指摘しているように、これまで、ヒュームの情念論はさほど重視されてはこなかったし、また、彼のプライド論に関する研究もごくわずかしか公表されていないのが実状である[5]。とはいえ、彼の道徳論・社会論における共感概念の重要性を考慮するならば、プライドが人と人とを対立させる（共感と相反する）契機に深く関わるとすると、共感論の総合的理解にとっても、プライド論の理解は欠かせないであろう。この古より常に身近なテーマであったプライドに関するヒュームの思想を探るとともに、共感の対立概念である〈比較〉とプライドとの関係を明らかにすることが、本稿の最も中心的な課題となる。

一　十八世紀イギリスにおけるプライド

デカルトの『情念論』（一六四九年）は十八世紀のイギリスでもよく読まれていたが、情念論はデカルトに始まるわけではなく、特に古典古代の修辞学の伝統の中で育まれて近世まで受け継がれてきた学問分野であった。デカルト以前のイギリスでも情念について論じられた一例としては、トマス・ライトの『心の情念』（一六〇一年）が挙げられる。ライトは、アリストテレスやキケロを頻繁に引用しながら、トマス・アクィナスの分類を紹介して、主要な六つの情念（愛・欲求・喜びと、それらに対立する憎しみ・嫌悪・悲しみ）

ならびに五つの情念（希望・絶望・恐れ・大胆さ・怒り）の他にも、慈悲、恥、激怒（excandescencie）、妬み（zelotypia）等々の情念をあげているが、プライドは考察の主題とはされていない[6]。

イギリスの十八世紀において、プライドに関して重要な指摘をした人物として筆頭にあげられるのは、マンデヴィルであろう。彼は、『蜂の寓話』（一七一四年）の中で、恥と対立するのがプライドであるとし[7]、社会生活においてはプライドや欲望や利己性を隠したほうがよいとしながら、プライドが商業上欠くべからざる情念であることを指摘している[8]。他人よりも勝ろうとするプライド意識が自由競争の原理を支えるという点で、この考え方は、アダム・スミスに継承されてゆくことになる。また、ハチスンは、『情念と情緒の本性と作用論』（一七二八年）の中で、「プライドは、時には、不名誉や無力への反感を伴った［野心と同じ］名誉欲や権力欲を指していることもあれば、名誉を受ける当然の権利があると思うことから生じる喜びを指していることもあるが、一般的には、名誉を受ける権利もないのにそれを要求する場合のように、悪い意味で使われる[9]」と述べ、プライドの多様性に注目しているが、プライド自体についてはそれ以上の分析は行っていない。

これ以外にも、十八世紀イギリスにおいては、伝統的な修辞学やデカルトの影響のもとに、様々な思想家がプライドに言及しているが、他方、十八世紀的なキリスト教的世界観に由来するプライドの観念も彼らの注目を引いた。それを典型的に示しているのが、『スペクテイター』六二一号（一七一四年）である。ここで、匿名の執筆者は、「我々には、価値のないものや恥ずべきものにプライドをもち、他方、我々の最も真実の栄誉を不名誉と考える傾向があるが、そこに愚かさがある」として、プライドを我々自身の反省の欠如や無知から生じるものと断定し、さらに、人間が他の動物よりも優っていると考えるようなプライドにふれて、そういった考えは、「天空の星が人間の目に喜びを与え人間の想像力を楽しませるために造られた」と思うのと同じくらい愚かな考えだ、と主張している。[10] 神の創造したものさえ人間のために造られたかのように思いなすこうした人間の傲慢さとしてのプライドに触れて、A・ラヴジョイは、「十八世紀思想におけるプライド」の中で、以下の二種類のプライドを区別している。一方は、「仲間と自分とを比較する個々人のプライド」であって、自尊心や競争心などがこれに属するのに対して、他方は、「創造の中心に自分自身を置き、自分がすべての他の〈理性をもたない〉被造物から広い裂け目によって隔てられていると思う」ような人類に共通したプライドである。前者は人間相互の社会的関係から生じる情念としてのプライドであり、後者は、理性を有するがゆえに人間を特別視し人間を神の位置にも置かんとするプライドであって、十八世紀という啓蒙主義の時代における理性万能の思想を反映したプライドであった。それに対して、ヒュームは、理性に懐疑の目を向け人間の認識能力の限界を論じたのであって、彼の思想は理性万能主義に対する反動的契機としての原始主義、自然主義を引き起こす役割を果たした、とラヴジョイは指摘している。[11]

確かに、ヒュームは、『人間本性論』第一巻で理性に対して徹底した懐疑のまなざしを向けたが、第二巻においては懐疑的態度を軟化させ理性の存在を認めながら、同時に理性のもろさも見極め、「理性は情念の奴隷である」と主張し、他方、人の心の内部にうごめき行為の源泉となる様々な情念に対する関心からも、プライドに注目したのである。ヒュームがプライドを重視していたことは、プライドが『人間本性論』第二巻の冒頭を飾るテーマであったことからも窺われる。では、プライドは、彼の情念論全体の中で、いかなる位置を与えられているのであろうか。

二　情念の分類

ヒュームは、あらゆる知覚内容を印象（impression）と観念（idea）の二つに分け、さらに、この印象を「初源的（original）印象もしくは感覚の印象」と「二次的印象もしくは反省的印象」とに分けている。初源的印象とは、ごく一般的に感覚印象と呼ばれているものや身体的快苦などを指す。それに対して、二次的印象とは感覚印象を元にして生じる印象、つまり我々が受けた感覚印象を思い返す（反省する）ことによって生じるものであって、ごく一般的に情念と呼ばれているものはそこに含まれる[12]。例えば、他人から受けた温情や暴力を思い返すならば愛情や怒りがこみ上げてくるであろうが、それ故、そうした情念は反省的印象と呼ばれるのである。

さらに、ヒュームは、この反省的印象を穏やかな（calm）ものと激しい（violent）ものとに分類している。前者としては「行為や構成物（composition）や外的対象における美と醜の感じ（sense）」が挙げられている[13]。この構成物とは、藝術や技術の所産を指し、従って、ここに挙げられている行為・構成物・外的対象の美（もしくは醜）とは、道徳・藝術・自然の領域における美的感情（もしくは非美的感情）と考えられる。他方、後者の激しい反省的印象とは狭義の情念と呼ばれうるものであって、そこには、愛と憎しみ、悲しみと喜び、プライドと卑屈さなどの情念が含まれる。但し、この区分は、必ずしも厳密なものではない、とヒュームは述べている。詩や音楽の与える歓喜はしばしば絶頂に達することもあれば、他方、一般の情念も、知覚できないほど柔和になることもあるからである。さらにまた、美的感情を反省的印象としてのみ扱っている点も、注意しておかねばならない。なぜなら、ヒュームの美の捉え方からすれば、例えば自然美にみられるように、美は、（反省的契機と関わる）有用性や調和の観念と（直接的な感覚から生じる）印象とが交錯して生じることもあり、それ故、美的感情は感覚印象にも依存しているからである。

この激しい反省的印象（情念）は、さらに、「直接的（direct）」情念と「間接的（indirect）」情念とに細分化される。直接的情念は、「善悪、快苦から直接的に生じる」[14]ものであり、欲求、反感、悲しみ、喜び、希望、恐れ、絶望、安心感などを含む。間接的情念は、直接的情念が快苦だけから生じるのに対して、他の性質を介在させて生じるものであって、プライド、卑屈さ、野心、虚栄心、愛、憎しみ、嫉妬、憐れみ、悪意、寛大さなどを含む。以上の分類は、次のように図示できる。

- 印象
  - 初源的印象 もしくは感覚の印象
  - 二次的印象 もしくは反省的印象
    - 穏やかな印象（美と醜の感じ）
    - 激しい印象（狭義の情念）
      - 直接的（欲求・反感・悲しみ・喜び・希望・恐れ・絶望・安心感）
      - 間接的（プライド・卑屈さ・野心・虚栄心・愛・憎しみ・嫉妬・憐れみ・悪意・寛大さ）

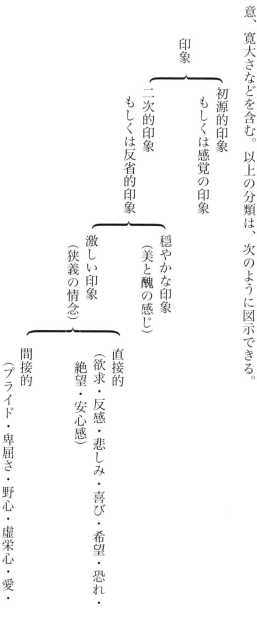

この図表は、『人間本性論』第二巻の冒頭の論述を基にしたものであり、ヒュームの情念論全体を視野に入れて再構成した図表ではないが[15]、プライドが他の情念の中で占める位置ならびに全体の大枠については、基本的な違いはない。但し、当時、プライドという用語がかなり多義的に用いられていたことを考えるなら、ここで、ヒュームにおけるプライドの基本的な意味内容について、一言述べておかねばならないであろう。例えば、アーダルは、proud という形容詞と pride という名詞が用いられた例文を幾つか挙げて、ヒュームの言うプライドの意味を論定している。その最も主要な論点としては、ヒュームにおけるプライドは、多くの場合、〈自慢の一形態〉であって、「何かあることのために、自分自身を高く考える」ことを指している点、ならびに、プライドは自分自身との関係がなければ生じない点、などがあげられている[16]。「何かあることのために」プライドは生じるということは、プライドは何らかの原因をもつことの謂いであり、また、「自分自身との関係」がなければプライドは生じないということは、プライドにおいては自我の意識が重要な役割を演じることの謂いである。それ故、次に、これらの点を探ることにする。

三　プライドの原因と対象

ヒュームは、プライドについて次のように語っている。「人は、自分のものであったり、あるいは、自分が建てたり工夫したりした、美しい家を自慢する。ここでは、その情念［プライド］の対象は、彼自身であり、その原因は、美しい家である[17]。」この一節には、ヒュームのプライド論の骨子が端的に示されている。

第一に注目しておかねばならないのは、プライドには原因があるという指摘である。ここで語られている例では、美しい家がプライドを引き起こす原因（あるいはプライドの「生産的原理」）とされているが、一般的なプライドの原因としては以下のようなものが挙げられている。「想像力であれ、判断力であれ、記憶力であれ、気質であれ、心のすべての価値ある性質。つまり、機知、良識、学識、勇気、正義、完全性。」しかし、プライドは単に心の性質だけでなく、「自分の美、力、機敏さ、立派な物腰、ダンスや乗馬やフェンシングにおける見事な立振舞や、すべての手仕事における手際よさ」などの身体の特質にも関わる。さらに、精神的・身体的性質にとどまらず、「我々の国家、家族、子供、親戚、財産、家、庭、馬、犬、服装」といったものもプライドの原因になる。つまり、徳・美・外的な利点・所有物や富・名声といった価値ある性質はいずれも、プライドの原因となるというのである。[18]

第二に注目しておかねばならない点は、情念の対象は自我であるという指摘であり、この点に関しては、次のように語られている。「プライドや卑屈さは、一旦かきたてられると、即座に自分自身に注意を向けて、自我をその究極の最終的な対象（object）とみなす。[19]」ヒュームは、愛する他者を愛の対象と呼ぶのと全く同じ意味で、自我（self）をプライドの対象と呼んでいるのであるが、この点を別の言い方で述べるなら、プライドをもつ時には、この美しい家は自分のものなのだ、あるいは、自分の建てた家なのだ、といったように、美しい家と私との間の関係性が意識されるのである。それに反して、「美しい魚、砂漠の動物などといった、我々のものではない、あるいは、我々とは関係ないいかなるものも、たとえ特異な性質を付与されていようが、また、本性的にどんなに驚きや驚嘆を引き起こそうが、我々の虚栄心になんら影響を与えない。[20]」また、次のようにも述べられている。「美は、美としてのみ考えてみるなら、もし自分に関係ないものに存在しているとすると、プライドも虚栄心も生み出さない。また、美やそれに代わる何か他のものを伴っていないならば、最も強い関係といえども、そういった情念にさしたる影響を与えない[21]。」

以上、プライドの原因と対象について述べてきたが、ここで、両者の関係について付言しておくと、美や富や徳などのプライドの原因は、最初にプライドの与える快感とは別の独自の快感を生む。「プライドのあらゆる原因は、それに特有な性質によって、別個の快感を生み、卑屈さの原因は別個の不快感を生む[22]。」例えば、我々は宴に臨席することに喜びを感じるが、私自身がもてなすのではなくても、我々の感覚はそこにあらゆる種類のご馳走があるだけで満たされる。しかし、もてなしを与える宴の主人は、こういった快感に加えて、自画自賛や虚栄心をもつ[23]。つまり、最初に快感を与えるご馳走があり、そのご馳走によってもてなしているのは私なのだという意識を持つことによって、プライドは生じるのである[24]。この点は、言葉こそ違え、次のようにも語られている。「現前する印象［つまり、感覚印象や快感情］がなければ、注意力は定まらないし、活気も奮い立たない。また、［私と対象との］関連性がなければ、この注意力は、最初の対象にとどまっていないし、それ以上の成りゆきを招くこともない[25]。」要するに、ご馳走や美しい家などの与える快感がプライドの〈直接的な〉原因なのであり、私とそうした対象との関連性が強く意識されることが、プライドを生じさせるのに必要な条件なのである。

無論、快感を与える対象と私との関係がわずかしかない場合でも、プライドが生じることはある。「同じ対象は、その性質の増減に従ってだけではなく、関係の遠近に従っても、程度の異なるプライドを引き起こす[26]。」例えば、私の所有している美しい家はプライドの原因となるが、私の父親や親戚や友人が美しい家を所有している場合でも、それはプライドの原因となることがある。つまり、プライドの原因と私の間に直接的な関係でなく、間接的な関係が存在しそれが意識される時でも、プライドは生じるのである。こうした〈快感を与える美しい家〉↓〈私の父親や親類（の持ち家）〉↓〈私〉といった観念の結びつきが観念連合と呼ばれるのに対して、現に存在する快感情がプライドに転じることは印象連合と呼ばれる。そして、観念連合においては類似性・隣接性・因果性の三つの関係に基づいて様々な観念が心の中に次々と思い浮かべられるのに対して、印象連合においては情念相互の類似性に基づいて様々な情念が次々と心の中に生じるという。「悲しみや失意は怒りを、怒りは妬みを、妬みは悪意を、悪意は再び悲しみを引き起こし、ついにこの円環は完成される。同様に、我々の気質は、喜びをもって高まる時、当然のごとく、愛・寛大さ・憐れみ・勇気・プライドなどの似たような感情の中に投げ込まれる。[27]」

以上から、ヒュームのプライド論の基本的論点を整理するなら、次のようにまとめることができる。

① 快感を生み出す性質（美・富・徳など）が存在すること。
② その性質が置かれる基体（家や身体など）が、自我（＝私）と直接的あるいは間接的な関係を有すること。
③ 美・富・徳などが生む快感が、プライドに転じること。

②が観念の関係（観念連合）、③が印象の関係（印象連合）であり、この観念と印象の二重の関係の相互の助け合いによって、プライドは生じるのである。[28] ヒュームは、「我々自身に関係したあらゆる快適な対象は、諸観念と諸印象の連合によって、プライドを生み、不快な対象は卑屈さを生む[29]」とも述べている。

以上のプライドの原因と対象、ならびに、観念連合や印象連合に関する基本的な内容を、ヒュームの所謂〈情念の四角形〉を基にして、アーダルの表に手を加えて図示するなら、[30] 以下のようになる。

この図が誤解を招かないように、印象連合と観念連合は、別々に生じるのではなく、互いに影響し合って

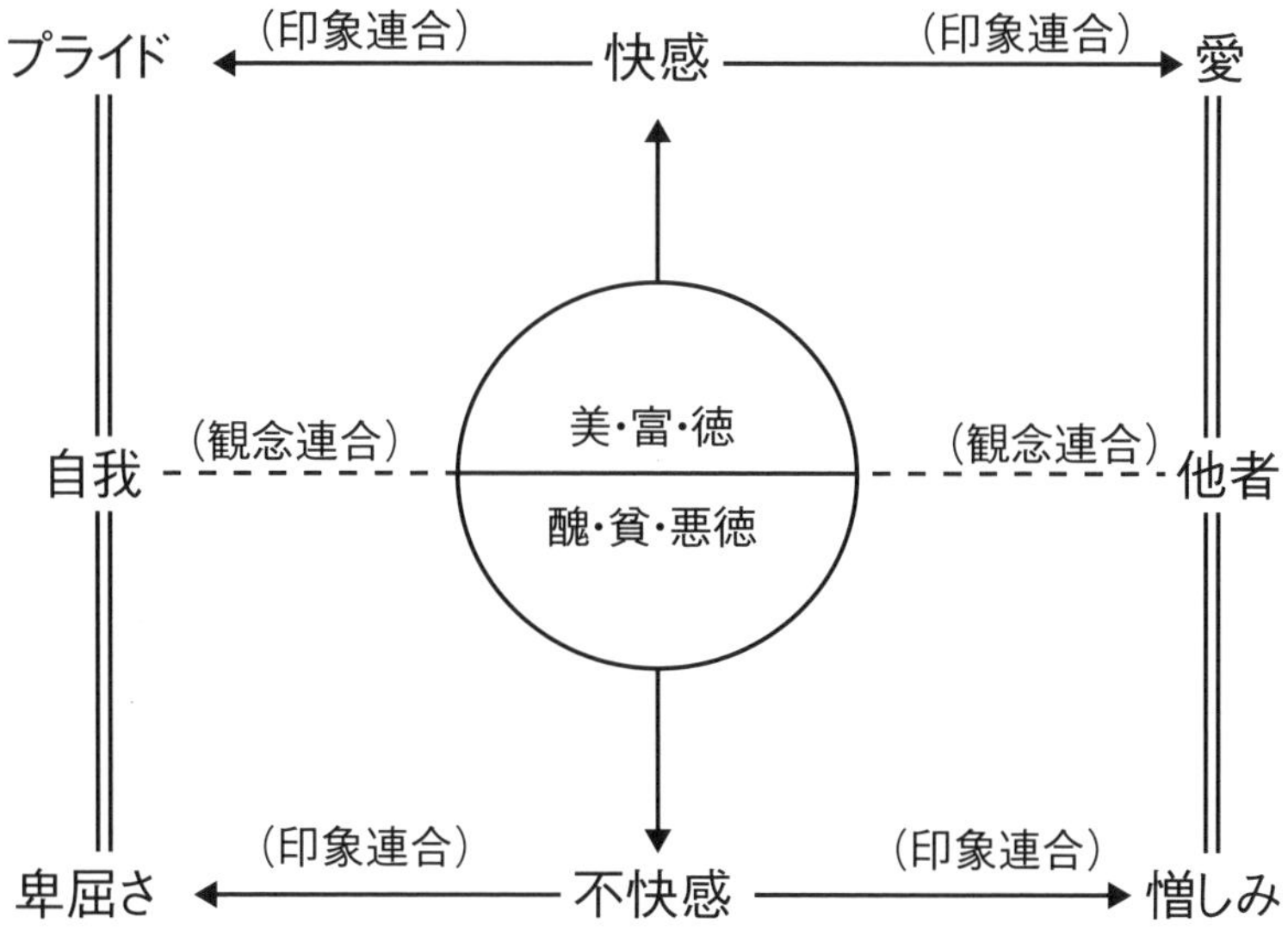

いる点は、再度断っておく必要があるが、この図は、これまでに我々が述べてきた二つの論点を明瞭に示している。第一に、プライドと卑屈さは同一の対象（自我）に向かい、同様に、愛と憎しみも同一の対象（他者）に向かう点。第二に、プライドと愛は快感に関わり、同様に、卑屈さと憎しみは不快感に関わる点。同じ間接的情念に入れられている愛とプライドは、快感が原因となる点で一致しているのに対して、各々が向かう対象は異なっているのである。すなわち、愛は慈悲を、憎しみは怒りを生み、その結果、愛は他人を助けたり、憎しみは他人に暴力をふるったりするような行動をとらせるのに対して、プライドや卑屈さは、「どんな欲求も伴わない、魂の純粋な情緒であって、直接我々を行為に駆り立てることのない[31]」情念なのであり、本来的には、他者に働きかけることのないものなのである。但し、次章でも述べるように、愛と卑屈さ、あるいは、プライドと憎しみは、対角線上に位置するとはいえ、類似点もあり[32]、例えば、相手への憎しみがプライドに転じて、相手を嘲るような場合、往々にして相手に対して暴力的な行為を振るうことは、当然考えられるであろう。

また、以上の図は情念相互の静的な関係しか示してはおらず、時間的な経過に伴う情念の様々な変化をうまく図示しているとは言い難い点にも注意しておかねばならない。実際には、プライドにせよ愛にせよ、各々の情念は、ヒュームの倫理思想の中枢概念である〈共感と比較〉の作用によって、実に流動的に変化するものなのである。

四 〈比較〉とプライド

ヒュームによれば、プライドが煽《あお》り立てられる際に、他者の意見が大きな影響力をもつという。「我々の名声、我々の性格、我々の名前は実に重大な考慮すべき事柄であり、他の徳や美や富などのプライドの原因さえ、他人の見解や意見によって助けられない場合には、大した影響を与えない。[33]」確かに、徳や美や富などが自分にあったなら、人はプライドをもつであろうが、他人によく思われていると想像することによって、プライド意識がますます高まるのも事実である。それ故、ここには、二段階の快感が存在している。「もし人が自分の賛美者に思われているのと全く同じ視点から自分自身について考えるなら、彼は最初に[プライドとは]別の快感を受け、その後にプライドや自己満足を得るであろう。[34]」無論、すべての人に認められたいという気持ちはあっても、実際には、自分が嫌っている人に認められても嬉しくはない。自分が尊敬する人に認められることこそ、最も高揚した快感の源泉となる。「名声は一般に快適であるが、我々自身が憎み見下している人たちの是認からよりも、我々が評価し認めている人たちの是認から受ける満足のほうがより大きい。[35]」私の高く評価している人物の立場に立って、その人物が私に対して抱くであろう敬意や好意を想像し感じとることによって私のプライド意識は高まるというのであるから、ここにおいては、共感が大きな役割を果たしていると考えられる。

それに対して、比較の作用もプライドに関与する。ヒュームは、共感の対立概念としては、反感ではなくむしろ比較という概念を考えていたが、それでは比較とはいかなることを言うのであろうか。例えば、小さい対象は大きな対象と並べられるとますます小さく見える、といった例が挙げられていることからも窺えるように、我々はある物を判断する際に、その物自体を問うのではなく、他の物との比較に基づいて判断を下すことがよくある。それが比較による判断である。しかし、我々は、物と物とを比較するだけではなく、他人と自分とを比較してしまうことがよくある。「我々は対象について、内在的重要性や価値によってよりも比較によって判断を下すことが多いし、また、同種のよりすぐれたものに対置されたいかなるものも、劣ったものとしてみなしてしまう。しかし、我々自身との比較ほど、歴然としているものはない。この種の比較は、その働きにおいて、共感と真っ向から対立する。(36)」共感が他者との同一化の契機となるのに対して、比較は他者との差異化の契機、他者と自分との違いを考量してしまう契機となるのであり、従って、他人に共感する場合には、我々はその人の快感や苦痛をそのまま受け入れ、彼と共に喜び苦しむのに対して、他人と自分とを比較してしまう場合には、その人の快感が自分の苦痛となり、彼の苦痛は自分の快感になるのである。「相手の悲惨さは、我々に自分の幸福についての生き生きとした観念を伝えるし、相手の幸福は、我々に自分の悲惨さの観念を伝える。(37)」「相手の快感を直接見ることは、当然我々に快感を与えるが、その人と我々自身とを比べる時、苦痛が与えられる。[他方、]彼の苦痛は、それ自体において考えるなら、我々にとって苦痛となるが、我々の幸福の観念を高め、我々に快感を与える。(38)」それ故、(実際には自分にはないが)自分にとってプライドを生むような性質が他人にあったなら、我々は卑屈な感情をもち、(実際には自分にはないが）自分にとって卑屈さを生むような性質が他人にあったなら、我々はプライドをもつのである。

以上のようなプライドと比較との関連性を探る時、ヒュームの情念論の力動的な側面が浮かび上がる。すなわち、「他人の立派な性質は、最初の視点から見ると、愛を、次に卑屈さを、第三に、これら二つの情念の混合である尊敬を生み出す。彼らの悪い性質は、同様に、我々がそれらを眺める見方によって、憎しみやプライドや嘲りを引き起こす。(39)」我々は、他人の性質を直視したり、それと自分の性質と比較したりすることがあるが、それに応じて、異なる感情が私の心の中にわき上がってくるというのである。従って、他人の立派な性質を見る場合は、以下のような感情が生じる。

①他人の立派な性質は快適であり、私には愛が生まれる。
②しかし、他人の立派な性質と自分の性質とを比較すると、私は卑屈さを感じる。
③それに対して、他人の立派な性質を再度考えてみると、他人に尊敬の念を抱く。

他方、他人の悪い性質を見る場合は、以下のような感情が生じる。

④他人の悪い性質は不快であり、私には憎しみや嫌悪感が生まれる。
⑤しかし、他人の悪い性質と自分の性質とを比較すると、私はプライドを感じる。
⑥それに対して、他人の悪い性質を再度考えてみると、他人に嘲りの念をもつことになる。

無論、ここにおいて語られているのとは逆の現象が生じることもある。例えば、友人や兄弟の徳は、最初に愛、次にプライドを生むとも語られているように(40)、立派な性質を持っている人物が、赤の他人ではなく、友人や兄弟などの私と関係ある人物であったなら、私はプライドを抱くこともあるであろうが、しかし、その友人や兄弟に対してさえ、私は、彼らと自分とを比較することによって、卑屈さを感じることもある。また、逆に、悪い性質を持っている友人や兄弟は、私に卑屈さを感じさせることもあるが、私は、彼らと自分とを比較することによって、「あいつよりはましだ」といったプライド意識をもつこともある。それ故、先にあげた命題は、〈比較〉の意識を介在させた場合の我々の感情の揺れ動きについて述べたものと理解しておかねばならない。

以上から、次の二点が明らかとなる。第一に、他人に対する愛と私自身の卑屈さ、また、他人に対する憎しみと私自身のプライドとは表裏一体であって、他人の立派な性質や悪い性質も、我々がそれをどのように見るかによって、全く逆の情念が生まれる点。事実、人を愛していても、愛するがゆえに自分の卑小さを思い煩って卑屈になり、また、人を憎んでいても、憎むがゆえに自尊心を感じることは日常的にも多々みられるであろう。第二に、プライドは、必ずしも人並み優れた美や徳や富を所有していなくても生じる点。例えば、他人の性質と自分自身の性質を比較し、私の性質が大したものでなくとも少なくとも他人のものよりも優れている場合、私はプライドを持ち、相手を嘲ることさえあるが、この場合のプライドは、主に、他人よりも優れているものをもっていると思い込む〈比較の意識〉から生じる快感に基づく相対的なプライドと言ってもよい。従って、プライドは、いかなる社会的場面においても、他人と自分とを比較する意識が存在する限り生じる情念なのである。

では、ヒュームは、プライドを肯定的あるいは否定的いずれのものとして捉えていたのであろうか。この点に関しては、どちらの答えも可能である。すなわち、一方において、ヒュームは、プライドを、自己に快適さを与えるもの、自己にとって有用であるものと捉え、次のように述べている。「プライドや自尊心の利点は二つの状況から生じる。つまり、その有用性（utility）と我々自身の境遇にとっての快適さ（agreeableness）である。[41]」プライドが我々に快適さを与えることは分かるとしても、いかなる点で有用なのかというと、プライドとは我々の精神を活気づけ、それによって我々を仕事に立ち向かわせるものだからである。[42]ここに、マンデヴィルからスミスに到る思想の流れを読みとることもできるであろう。しかし、ヒュームが生きた時代は、近代の契約社会が成立する時代・社会のもつ意味が考察された時代でもあり、従って、ヒュームは、個人にとってばかりでなく、社会にとっての快適さと有用性も重視する。[43]確かに、快感原則に従うなら、快感を与えるものは善であり、個人に快を与えるプライドは善である。しかし、他方、個人にとっての善が必ずしも社会にとって善とはならないものもあり、ヒュームはその典型をプライドに見たのである。「プライドもしくは尊大なうぬぼれは、害悪となるに違いない。というのは、それは万人に不快感を引き起こし、彼らにいつ何時といえども不快な比較を提示するからである。[44]」さらに、ヒュームは、次のようにも語っている。「[他人のプライドや傲慢な表情など]は、我々自身のプライドを傷つけ、共感によって、比較へと我々を導く。そして比較は卑屈な不快な情念を引き起こす。[45]」プライドを顕《あらわ》にする人に共感するとはかなり奇異な現象のようにも思われるが、この場合の共感とは、ある種の感情伝染としての共感であり、自らの美や富などをあからさまに顕にする人物に接する人は、その人の快感を肌で感じとると言ってもよい。そうした他人の快感を感じてしまうゆえに、人は、プライドをもった人物と自分自身とを比較すると、卑屈さや嫉妬などの不快な感情を抱き、あるいは、彼に馬鹿にされているような気がして不快感を感じてしまうのである。

さらに、不愉快になるのはその傲慢な人に直接接する人だけではなく、その周りの人も不快な感情を抱くことになるが、ここでもまた、共感は重要な役割を演じる。「我々は、不快感をもった人々に共感する。そして、彼らの不快感は、一部は、彼らを侮辱した人物に対する［感情伝染としての］共感から生じるのであるから、ここにおいて、我々は共感の二重のはねかえりを認めることもできるであろう。(46)」プライドを顕にする人物に接した人の不快感が、共感作用によって周りの人たちにも伝わってしまうのである。それ故、賢人は、他者と自分とを比較することによって生じるプライドや卑屈さに左右されないためにも、自分自身の内に満足を求める、とヒュームはきわめてストイックな意見を述べている。「良識と長所をもった人は、自分の外にあるものから自立して、自分自身に快感をもつ。しかし、愚か者は、自分自身の資質や理解力と仲良くやっていくために、自分より劣った誰かを常に求める。(47)」自分より劣った者を身の周りに従えているなら、心は卑屈さに打ちひしがれることはなく、自分のプライドを満足させることができるが、しかし、賢人は、そうしたプライドが人を必ずしも幸福に導くのではないことを知っているがゆえに、他人に依存することのない自立した快感を求めるというのである。けだし、プライドは、自分に快感をもたらすとしても、必ずしも幸福と繋がるわけではないのである。「最もプライドが高く世間の目にとってそのプライドの理由をもっている人たちが、最も幸福であるとは限らない。また、一見すると、この理論体系から想像されるように、最も卑屈な人たちが最も悲惨であるわけでもない。(48)」プライド意識から生じる快感や、卑屈さから生じる不快感などといったものは、我々の真の幸福や悲惨さとは別のところにある、というのである。(49)しかし、このことを裏返してみるなら、人は、賢人でない限り、他人と自分とを比較し、プライド意識をもったり卑屈な感情をもったりして、瑣末な快・不快の感情に右往左往する存在なのであると言えるであろうが、ヒュームは、こうした感情の揺れ動きの根源に、〈共感と比較〉という人間の本性に宿る二つの契機の存在を見ていたのである。

結び

ヒュームのプライド論にはプライドの原因と対象を科学的に問い直そうとする分析的姿勢が見られるが、ヒュームの目は、一つの情念としてのプライドだけでなく、共感や比較という根本的な原理によって左右されて揺れ動く人間の複雑な意識にまで向けられていた。さらに、一見すると単なる感情現象の分析にすぎないように思われる言葉の根底に潜む彼の問題意識は、社会にとっていかなるものが快適であり有用なのか、あるいは、人はいかなる人間関係によって社会を構成するのか、といった価値論や社会の成立論などの問題にまで広がっていたことは、見逃してはならないであろう。

注

（1）英語の pride は、誇りの意味でも傲慢の意味でも用いられる両義的な単語である。ヒュームは、pride を主に傲慢の意味で用いているが、例えば、well-regulated pride のように修飾語を付け、良い意味でも用いている。従って、pride の両義性を考慮して、プライドと訳すことにする。

（２）D. Hume, *THN*., pp. 596-97.

（３）本書所収の第一章「共感の生起と射程について」及び第二章「共感・模倣・変身」参照。

（４）聖書におけるプライドに関しては、『聖書思想事典』（三省堂、昭和四八年、七六二—六五頁）、また、ギリシア思想以来の hybris に関しては、断片的な記述ではあるが、*Dictionary of the History of Ideas*, vol. III, Charles Scribner's Sons, 1973, pp. 463-75 参照。美術におけるプライドに関しては、Cesare Ripa の *Iconologia*, 1593, 1611（Garland, 1976）の superbia の項目参照。但し、そこには挿絵は添えられていない。プライドがアレゴリーとしていかなる図像表現を与えられていたかを示すものとしては、十八世紀のヘルテル版の *Iconologia*（*Baroque and Rococo Pictorial Imagery; The 1758-60 Hertel Edition of Ripa's Iconologia*, Dover, 1971, p. 126）がある。

（５）Páll Árdal, *Passion and Value in Hume's Treatise*, Edinburgh U.P., 1966, p. 17. 本稿とは直接的には関わらないが、ヒュームのプライド論の研究論文としては、Donald Davidson, Hume's Cognitive Theory of Pride, *The Journal of Philosophy*, 1976; Annette Baier, Hume's Analysis of Pride, ibid., 1978 がある。後者は、ヒュームのプライド論を三段論法の形式で分析した前者の批判である。近年、特にフランス語圏ではドゥルーズ以来、ヒュームの情念論に対する関心が高まっているように思われる。その一つの成果が、ヒュームの『情念論』の仏訳であり、フランス語圏の文献を知る上で、参考文献は役に立つ。cf. D. Hume, *Dissertation sur les passions*..., traduction par Jean-Pierre Cléro, Flammarion, 1991.

（６）Thomas Wright, *The Passions of the Minde*, 1601, Georg Olms, 1973, pp. 41-48. ライトのこの書物の歴史的影響については、拙稿「エドマンド・バークにおける崇高と恐怖」『藝術研究』第四号（広島藝術学研究会、一九九一年、三頁）参照。

(7) Bernard Mandeville, *The Fable of Bees*, 1714, ^{6}1732, p. 56.

(8) ibid., p. 125.

(9) Francis Hutcheson, *An Essay on the Nature and Conduct of the Passions and Affections*, 1728, Georg Olms, 1971, p. 70.

(10) *The Spectator,* Nov. 17, 1714, G. Smith (ed.), vol. 4, Dent, pp. 429-30.

(11) Arthur O. Lovejoy, "Pride" in Eighteenth-Century Thought, 1921, in *Essays in the History of Ideas*, Johns Hopkins Press, 1948, Greenwood Press, 1978.

(12) *THN*., p. 275.

(13) ibid., p. 276.

(14) ibid., p. 399.

(15) N・K・スミスも、同様の分類表を作成している。(Norman Kemp Smith, *The Philosophy of David Hume*, 1941, Garland, 1983, p. 168.) 但し、彼は、calm 対 violent と direct 対 indirect の情念の分類順序を逆にして、violent 対 calm を direct の下に置いている。しかし、『人間本性論』の第二巻1の1 (pp. 275-77) における記述では、激しい情念の中に、「愛と憎しみ、悲しみと喜び、プライドと卑屈さ」などの直接的情念と間接的情念が共に入れられていることからみるなら、本図のようになるであろう。但し、ヒュームの情念論を通観してみるとかなり矛盾したことが語られており、彼の情念論は全体的視野から見直される必要がある。そうした試みとしては、杖下隆英『ヒューム』勁草書房、一九八二年、二〇二頁参照。

(16) Páll Árdal, op. cit., pp. 19-24.

(17) *THN*., p. 279.

(18) ヒュームは、プライドの原因を、ある働きをする性質（美しさ等）と、それが置かれている基体（家等）とに分け、そうした性質をプライドの原因とみなしている。ibid., p. 279.
(19) ibid., p. 278.
(20) ibid., p. 303.
(21) ibid., p. 279.
(22) ibid., p. 285.
(23) ibid., p. 290.
(24) 我々に関係し快感を生むものがすべてプライドを生じさせるわけではない。この点に関して、ヒュームは五つの限定条件をあげている。cf. ibid., pp. 290-94. それに対する具体的な分析については、Gabriele Taylor, *Pride, Shame, and Guilt*, Oxford U. P., 1985, pp. 21-26 参照。
(25) ibid., p. 290.
(26) ibid., p. 306.
(27) ibid., p. 283. 観念連合が『人間本性論』第一巻で展開されているのに対して、印象連合は、第二巻になって初めて提出されている。
(28) ibid., pp. 286-87.
(29) ibid., p. 290.
(30) ibid., p. 333. Árdal, op. cit., p. 26.
(31) ibid., p. 367.
(32) 「プライドと憎しみは心を活気づけるが、愛と卑屈さは心を弱くする。」cf. ibid., p. 391.

(33) ibid., p. 316.
(34) ibid., p. 320.
(35) ibid., p. 321.
(36) ibid., p. 593.
(37) ibid., p. 375.
(38) ibid., p. 376. cf. p. 392.
(39) ibid., p. 390.
(40) ibid., p. 343.
(41) ibid., p. 600.
(42) ibid., p. 600.
(43) ibid., p. 591. この自己にとっての価値観と社会にとっての価値観との関係を明らかにすることが、『人間本性論』第二巻以降の最も重要な眼目の一つだったのであり、共感こそ、個人と社会とを繋ぐ要の役割を担わされたのである。
(44) ibid., p. 596.
(45) ibid., p. 601.
(46) ibid., p. 602.
(47) ibid., p. 596.
(48) ibid., p. 294.
(49) ヒュームにとって、幸福（あるいは悲惨さ）とはいかなることをいうのかという問題は、社会にとっての有用性とも深く関わる議論でもあり、別稿で論じなければならないほど大きな問題であるので、ここでは、ヒュームの与えた一つの答を瞥見しておくだけにする。彼は『人間本性論』の出版の数年後に公表したエッセイの中で、ある人の幸福とは、その人が追求している対象の価値ではなく、その人が追求している際の情熱とそこにおいて得られる成功にあるとして、「もしその情熱が強く揺るぎなく成功を伴うなら、その人は幸福である」と述べ、個人の意欲とその成就に幸福の源泉を見ている。(The Stoic, 1742, in *Essays Moral, Political, and Literary*, Scientia Verlag Aalen, 1964, p. 219.)

第二部　ピクチャレスク

第四章　ウィリアム・ギルピンのピクチャレスク・ツアー

序

ウィリアム・ギルピン（William Gilpin）は、晩年の一八〇一年、七十七歳になった時に、自分の一生を回顧して、自分史を書いている。それは、ギルピン自身の他には誰も自分のことをよりうまく書けないであろうという理由から、また、父親の生涯を記録に留めておきたいという彼の息子の願いから書かれたものであった。しかし、彼は、自分史を書くことの危険について十分認識していた。「恐れなくてはならない唯一のことは、〈利己愛〉と〈自分自身を過大評価すること〉の影響である。前者は〈自分を飾りたてること〉に至り、後者は〈瑣末なことを重大事として紹介することに〉至る。〈利己愛〉の影響に関しては、心配はあまりないことを願う。というのも、何ら所見を交えない〈事実〉のみが、許容されるからである。瑣末なことを重大事として紹介することについては、確かに心配する根拠があるかもしれない。多分、重要でないものでも捨て去ることは耐え難いであろうから。[1]」自分を飾りたてることや、自分の体験の誇大広告をすることの危険を語るこのさりげない言葉のうちに、ギルピンの辿ってきた一生を見ることも可能であろう。ともすれば、イギリス各地を旅して、旅行記にピクチャレスクな風景スケッチを添えて出版したディレッタントと考えられがちな姿、その最も極端なものとして、ウィリアム・クーム（William Combe）のドクター・

シンタクス（Dr. Syntax）によって揶揄《やゆ》された姿とは異なるもう一つのギルピン像、すなわち、人生の大半を宗教家として、教育者として過ごしたギルピン像、あるいは友人のサミュエル・プラット（Samuel Prat）が評した「思いやりがあって、寛容で、才気に富み、慈愛に満ちた男」に代表される人物像がその対極にあるからである。そこでまず、最初に、ギルピンの生涯を辿っておくことにする。

一　ギルピンの生涯

ギルピンは、一七二四年六月四日に、カーライル近郊に、ジョン・バーナード・ギルピン（John Bernard Gilpin）とマチルダ（Matilda）の間に生まれた。画家のソーリ・ギルピン（Sawrey Gilpin）は、末弟である。一七四〇年にオクスフォードのクイーンズ・カレッジに入学。一七四四年に卒業後、カーライルの主教ジョージ・フレミング卿に叙任されて、アーシントン（カーライルから約七マイル）の副牧師となるが、ほどなくオクスフォードに戻り、一七四八年には修士号を取得する。次いで、ロンドンで副牧師職を得た後、ジェイムズ・サンクセイからサリー州のチーム（ロンドンより一四マイル）の学校（一六六五年創立）を引き継ぐ。資金ぐりについてはジェイムズの弟のロバートの支援を受け、また、当時の学校は賄いつきでありそれを扶ける女性が必要だったので、一七五二年に結婚することにより同年学校を譲り受け、以後二十五年間教育活動に携わる。当初は、十五人の少年しかいなかったのに、徐々に数は増えて、八十人ほどまでになり、入学待ちの生徒もいたという。一七七七年、学校の経営を息子に委ねた後、ハンプシャーのニュー・フォレスト近くのボウルダの教区牧師として移住し、一七九一年に学校を創設した後、死ぬまでその地に留まった(2)。

彼の人生を眺める時、幾つかの側面を指摘することが可能であろう。第一に、彼は、時代に先んじた教育改革を行った人物として知られる。例えば、体罰の代わりに（彼は体罰を完全に廃止したわけではなく、特に小さい子供に対しては体罰を行ったが、それもめったなことではしなかった）、罰金（週のこづかいから出させたもの）や監禁（大方は大食堂に閉じ込めた）の制度を取り入れ、少年たちの提案に従って、その罰金を学校の図書室や施設整備、あるいは年に二度貧乏な人たちのための寄付金として使ったり、あるいは、園芸やビジネス感覚を奨励したりしたという。

ちなみに、体罰について述べておくなら、イギリスでは、一八六〇年ホープリー（Hopley）事件、すなわち、「教師が少年を体罰で［子供のかたくなさを矯正するために、親の同意を得て杖で打ち］死にいたらしめ、懲役四年の罪となる事件」が体罰の判例となったが、イギリスでは根強い体罰賛成論があり、これが禁止されたのは最近のことである。ギルピンに先立つジョン・ロックの『教育論』にも体罰についての記述があり、五二節では禁止、しかし、七八節ではやむを得ない場合は鞭打ちが容認されている。この点から見ても、ギルピンの先進性が分かる(3)。

第二に、ギルピンの社会性へのまなざしは、以下の点からも窺える。すなわち、ギルピンが移り住んだボウルダは、密輸業者が跋扈《ばっこ》し、ならず者がたむろする港町であったが、この町で、ギルピンは、恵まれない女性のための障害者保険のようなものを設立し(4)、社会活動にも精力的に力を注いだという。

第三に、彼は、夏休みを利用してテムズ川や近くの散策を行い、一七六九年より一七七一年を除くほぼ毎年、一七七六年に至るまで、イギリス各地を巡り、その地の印象を書き留めるとともに、スケッチを多数残した。これが、ギルピンの名を最も有名にした所謂ピクチャレスク・ツアーである。しかし、一七七七年にボウルダに移ってからは、ピクチャレスク・ツアーは行っていない。

二　ギルピンの旅行と著作

ピクチャレスク・ツアーはギルピンが四十代半ばから五十代半ばまでに行った旅である。しかし、旅行記の出版は六十歳近くになってからのことであった。ギルピンがどの地図をもって旅をしたのかは明らかではないが、当時の地図と現在の地図とを比較しながら彼の辿った道を追ってゆくと、かなり多くの場所が現在も十八世紀の名前を留めている。それ故、彼の辿った道筋はある程度分かるが、しかし、彼の旅行の日程で分かる部分はごくわずかしかない。その大半が六〜七月に一ヵ月ほど行っているのは、学校を経営していたために、夏休みを利用したことによる。以下、旅行の全体像を記しておきたい。

※旅行の年に続いて、その旅行から生まれた著作名をあげておく。出版年は、（）内に記載。

1768：Thames Tour

（手稿のみ、未出版。最初の旅である八日間のテムズ川下り。）

1769：*Observations on several parts of the countries of Cambridge, Norfolk, Suffolk, and Essex, relative chiefly to picturesque beauty, made in the year 1769.*

（*Cambridge Essex Tour*『ケンブリッジ〜エセックス紀行』と略、一八〇九年）

［風景描写は他の旅行に比して、多くない。］

1770 : *Observations on the river Wye, and several parts of South Wales &c, relative to picturesque beauty, made in the summer of the year 1770*.
（*Wye Tour*『ワイ川紀行』と略、一七八三年［タイトルは一七八二年］・一七八九、一七九二、一八〇〇年、独・仏訳）
［ウェールズの首都であるカーディフから東へ約四〇キロメートルのチェプストウ（Chepstow）がワイ川の河口にあるが、その途中には、ギルピン自身が、最もピクチャレスクと語っているティンターン修道院、そして川のゆるやかな蛇行が極めて美しい景勝地パースフィールド（Persfield）がある。ギルピンの素描から彼の甥（Sawrey の息子）がアクアチントで制作したが、銅板が柔らかすぎて失敗し、より固い金属で再度行ったため、出版年が一年遅れたのである。第二版は、**W. S. Gilpin** と **Jukes** が担当(5)。］
1772 : *Observations on the Mountains, and Lakes of Cumberland, and Westmoreland, relative chiefly to picturesque beauty, made in the year 1772*.
（*Lake Districts Tour*『湖水地方紀行』と略、一七八六、一七八八、一七九二、一八〇八年、仏訳一七八九年）
［一七八六年の図版は、**W. S. Gilpin, J. W. Smith** が担当。］
1773 : *Observations on several parts of North Wales, relative chiefly to picturesque beauty, made in the year 1773*.
（*North Wales Tour*『北ウェールズ紀行』と略、一八〇九年）
［ウェールズの最高峰スノードン山には、ギルピンは登頂していない。］

1774 : *Observations on the Coasts of Hampshire, Sussex, and Kent, relative chiefly to picturesque beauty, made in the summer of the year 1774.*
（*Hampshire Kent Tour*『ハンプシャー〜ケント紀行』と略、一八〇四年）
1775 : *Observations on the Western parts of England, relative chiefly to picturesque beauty. To which are added, a few remarks on the picturesque beauties of the Isle of Wight.*
（*Western Tour*『西部紀行』と略、一七九八、一八〇八年、独訳一八〇五年）
1776 : *Observations, relative chiefly to picturesque beauty, made in the year 1776, on several parts of Great Britain, particularly the High-lands of Scotland .*
（*Scottish Tour*『スコットランド紀行』と略、一七八九、一七九二、一八〇八年、仏訳一八〇一年）

以上のように草稿はすぐには出版されず、かなり経ってから、メイスン（Mason）等の助言により出版された。[6] それは、文章を推敲するのに時間がかかったことや、その場で描いたスケッチを後に修正することに多くの時間を費やしたことがあげられる。当時はまだ宿泊施設が整っていない時代であって、ギルピンは、貴族に連絡を取り、宿泊させてもらい、その絵画のコレクションを見せてもらったりしたのであるが、草稿にはその素直な感想なども含まれていたであろうから、文章の推敲に関しては、修正せざるをえなかった箇所も数多かったと推察される。他方、スケッチの推敲も行われたが、それが辛い作業だったわけでないことは、例えば、『二つの試論（*Two Essays*）』の中で、「ありのままの素描と想像力により加筆された素描」[7]を対比して論じていることにも窺える。ギルピンの挿絵を見ると、現実の自然の写生のように思われるかもしれないが、「真実の素描」に対して、「フィクションの素描」も少しは認めるべきと主張していることからも分かるように、「想像による加筆」を行うのもスケッチの楽しみの一つだった。すなわち、ある程度の修正は、その地方の自然が許容するものとして、かつ、構成の美が要求するものとして、行うべきであって、木を植えても取り除いてもよく、例えば、枝を広げた樫の木ではなくて、枯れた切り株がその風景の形式によりマッチするなら、交換してもよい。ギルピンは、絵画的構成のための修正を認めていたのである。[8] 例えば、ティンターン修道院の原スケッチと『ワイ川紀行』に用いられた挿絵とはかなり異なっている。彼のスケッチの完成年（最初のスケッチと想像力によって補完したスケッチ）の中で分かっているものは、以下の通りである。（ ）内は出版年。

Wye tour	1770	→	c. 1779（1783）
Lake Districts	1772	→	1774（1786）
North Wales	1773	→	c. 1790（1809）
Western	1775	→	1777（1798）
Scottish	1776	→	c. 1778（1789）

以上の他に、ギルピンは、宗教関係・教育関係の著作を残しているが、それらは大英図書館で閲覧できる。また、ピクチャレスク・ツアー以外の美学・藝術論と関わる著作としては、以下のものがある。

1748 : *A Dialogue upon the Gardens of the Right Honourable the Lord Viscount Cobham, at Stow in Buckinghamshire.*

1768：*An Essay on Prints*.（独・仏・蘭訳）
［前半は、版画と絵の違い、後半は様々な版画家について。］

1791：*Remarks on Forest-Scenery, and other Woodland Views, relative chiefly to picturesque beauty, illustrated by the scenes of New-Forest in Hampshire*.（*Forest-Scenery*『森林景観論』と略、独訳）
［産業革命に伴う、森林伐採への危機感の表明を含む(9)。］

1792：*Three Essays: on Picturesque Beauty; on Picturesque Travel; and on Sketching Landscape: to which is added A Poem, on Landscape Painting*.（『三つの試論』仏訳）

1801：*An Account of the Reverend Mr. Gilpin of Vicar's-HIll extract from Memoirs of Dr. Richard Gilpin*—.

1804：*Two Essays: one on the author's mode of executing rough sketches; the other on the principles on which they are composed*.（『二つの試論』）

ギルピンの著作を列挙してきたが、かなり多くの著作がドイツ語やフランス語に訳されていることから、当時からギルピンは大陸でもかなり読まれていたことが分かる。また、彼の大半の旅行記には、「ピクチャレスクな美に関して」（relative to picturesque beauty）という題名がついているが、実際のところ、ギルピンの旅行とは、「ピクチャレスク美」を求めてだけの旅だったわけではない。この点について、ギルピンの旅の目的について述べることによって明らかにしておきたい。

三　ピクチャレスク・ツアーの諸相

《旅の目的》

ギルピンは、『ケンブリッジ～エセックス紀行』の中で、旅の目的として、サルヴァトール・ローザ(Salvator Rosa)の絵《ベリサリウス》(Belisarius(505-565)東ローマ皇帝ユスティニアヌスI世に仕えた名将)を見ることと、ホイッグ党に属し首相や蔵相を務めた政治家、故オーフォード卿ロバート・ウォルポール(Robert Walpole)のコレクションを見ることをあげている。後に、ゴシック小説の始祖として『オトラント城』(一七六四年)を執筆し、ストロベリー・ヒルの邸宅の改築や*Anecdotes of Painting*でも著名なホラス・ウォルポール(Horace Walpole)は、ロバートの第四子である。さらに、『スコットランド紀行』でも、**Burleigh-house, Dalkeith-house, Hopton-house**等々のコレクションを見る体験について語っている。宿の少なかった時代、貴族等の館に宿泊することによって、そのコレクションを見る機会を得たのである。

絵を見るという目的の他にも、ギルピンは、『ワイ川紀行』の中で、様々な旅の目的について語っている。「我々は様々な目的をもって旅をする。土地の耕作を探索するため、珍しい藝術を見るため、自然美を眺めるために、自然の所産を探し求めるために、人々の風習や様々な政治制度や生活様式を学ぶために。[10]」この記述は、ギルピンの行った旅の目的についてというよりも、より一般的な視点から述べたものであって、例えば、当時の土地の耕作を探索するための旅としてはアーサー・ヤング(Arthur Young)の農業的見地からの旅が、自然の所産を探し求めるための旅としてはペナント(Thomas Pennant)の博物学者としての旅が、思い起こされるであろう。ギルピンの旅も、様々な目的が含まれていたが、その中心にピクチャレスクな風景美探索があったことは言うまでもない。

《ピクチャレスクの意味》

picturesqueとは、かなり多義的な語である。そこで最初に、picturesqueの辞書的定義を述べておこう。*OED*は、「絵の諸要素に似た、もしくは、それを所有する／印象的もくしは効果的な絵画の題材に適した(like or having the elements of a picture; fit to be the subject of a striking or effective picture)」という定義を挙げて、「風景、建物、衣装、様々な行為の場など、あるいはまた、諸々の状況、場面、空想、観念等々について語られる」とし、初出としてSteelの用例（一七〇三年）を挙げている。しかし、picturesqueという単語が、イタリア語のpittorescoに由来することからも推察できるように、その原義は英語においても常に存続しつづけた。つまり、pittorescoとは、「画家風の」「画家的な」「画家のスタイルで」といった意味であって、十八世紀前半の英語において、painter-likeという訳語も用いられていた。（*OED*は、一八二一年の用例を挙げているが、このpainter-likeという単語は、かなり早くから翻訳の中で用いられている。）ギルピンが頻繁に用いる、picturesque travellerやpicturesque eye等の用語は、こうした〈画家としての感受性をもった〉という意味で使われていることを理解しないと、「ピクチャレスクな旅行者（picturesque traveler）」「ピクチャレクスな目（picturesque eye）」といっても、よく分からないであろう。この点に関しては、picturesque eyeという用語と共に、painter's eyeという言葉が用いられていることもその証左としてあげられる。しかしながら、イタリア語のpittorescoに対して英語のpicturesqueにあっては、描かれた対象としての絵に力点が置かれるようになっていく。

また、picturesqueという単語はかなり多義的な意味をもっていたが、ギルピンとレノルズの往復書簡にも、ここで言及しておく必要がある。『三つの試論』をギルピンから送られたレノルズは、picturesqueという語は、ミケランジェロやラファエロの作品には当てはまらず、ヴェネチア派の画家の絵に当てはまる概念であると述べた後で、以下のように語っている。「恐らくpicturesqueはtasteという語と多少なりとも同義語であります。それをホメロスやミルトンに当てはめるのは相応しくないでしょうが、ポープやプライアーには当てはまります。こうした用語を適用できるのは劣ったランクの卓越性に対してであって、それは荘重様式とは両立しません。」それに返答して、ギルピンは、「ピクチャレスクという語に関しては、私は常にそれを〈絵画に相応しい題材（テーマ）のようなもの〉を指すものとして使ってきたにすぎません[11]」と語っている。「絵に適した」ものを指すというのである。また、ピクチャレスク美を「絵であったなら見栄えするような美」(That kind of beauty which would look well in a picture) とも語っている。[12]

一七五五年に出版されたジョンソンの辞書［四万三五〇〇語所収］にはpicturesqueの項目はないところからみても、十八世紀中葉にはまだピクチャレスクはさほど広まっていた概念ではなかったことがうかがわれるが、その後、ジョージ・メイスンによるジョンソンの辞書の補遺（一八〇一年）には、ピクチャレスクに関して、六つの意味があげられている。[13] ①「目に心地よさを与えるもの」(what pleases the eye)、②「特異性が目立つ」(remarkable for singularity)、③「絵画の力で想像力に強い印象を与える」(striking the imagination with force of painting)、④「絵画の中で表現されるべき」(to be expressed in painting)、⑤「風景画に素晴らしい題材を与える」(affording a good subject for a landscape)、⑥「風景を切り取るのに相応しい」(proper to take a landscape from)。③と④は絵画と関わる定義、⑤と⑥は風景画（自然）と関わる定義であって、①から⑥に進むに従って、より限定された定義となっていくが、⑤は先にギルピン自身が述べた「絵に相応しい題材」としての風景美と重なっている。

以上の定義について、バルビエ（Barbier）は、「これらすべてにギルピンは同意したであろう」と述べながらも、同時に、ピクチャレスクにおいてはこうした定義以外の重要な観点として、「旅をしている際に通り過ぎる自然の風景との直接的能動的な関係に人を関与させる気分、美的態度」について言及している。つまり、ピクチャレスクにおいては、自然と絵画を結びつける「感受性と教養をもった人物」(a man of sensibility and culture) がなくてはならないというのである。[14] しかし、この意味は、先にあげた、「ピクチャレスクな目」あるいは「画家風の目」といった意味に対応するものと理解してもよい。

《ギルピンの評価した絵》

ギルピンにおいて、picturesque な風景とは絵のテーマとなる風景を指すとしても、誰の絵が彼の絵画的な美の規範となったのか。この点に言及することも、彼のピクチャレスク概念を明らかにするために必要であろう。一六四〇年以降、一五〇〇年間にわたり、イギリスでは風景画が重要な絵画のジャンルとなったが、landscape という単語はオランダから入ってきたにもかかわらず、[15] オランダ風景画は、さほど当時の画家の関心を引かなかった。ジェイムズ・トムソンの有名な詩句からも分かるように、姉がニコラ・プッサンの妻であるゆえにガスパル・プッサンと呼ばれたガスパール・デュゲ (Gaspard Dughet)、クロード・ロラン、サルヴァトール・ローザといったイタリアで活躍した風景画家が、イギリスにあっては、十七世紀後半から好まれるようになっていた。

ギルピンは、ロランについては構成力の欠如を指摘し、[16] また、『北ウェールズ紀行』でも、以下のように語っている。「考えますに、彼ほど、版画家に負っていない巨匠はいません。版画は、我々に主として巨匠の構図を与えてくれますが、それはクロードにあってはさして評価できません。しかし、版画は我々に素晴らしい彩色という観念を伝えることはできませんが、彩色においてのみ、クロードの作品は他のすべての人を超えているのです。[17]」

また、ギルピンは、ローザに関しては、壮大な景色において、人物像の特性を完全に研究したように思われると述べ、「彼の人物像は、みな……否定的な種類のものであるが、偉大さや野性味や獰猛さといった特性がある程度刻みつけられている。彼の人物像は、一般に、この最後の種に属するものを分有している。彼の壮大な景色には、主に山賊が出没する[18]」と語り、ローザを最も高く評価し天才とも呼んでいる。バルビエによると、[19]ローザの風景画は、一七六〇年代の半ばからギルピンに大きな影響を与えていたが、彼の絵は容易に見ることができなかった。彼の絵は**Joseph Goupy**や**John Brown**や**Louisa Augusta Greville**の版画を通して知られていたのである。従って、既に述べたように『ケンブリッジ～エセックス紀行』の目的が、ローザの《ベリサリウス》を見ることにあったのは、いまだ易々とローザの絵に触れることができない時代だったからなのである。

その他にも、ギルピンにあっては、ルーベンス[20]やレンブラントといった、バロックの画家に対しての高い評価が見られる。

《色彩賛美》

ギルピンの〈色彩賛美〉は、彼のバロック評価とも関わっているように思われるが、若くして『版画について』（一七六八年）を執筆し、また、後年にはスケッチを多く残したギルピンを考えると、何故彼が線ではなく色彩を高く評価したのか、言及しておかなくてはならない。『版画について』第一章には、色彩を用いることのない版画と絵画の比較論が展開されており、それによると、絵画と版画の違いは、彩色と制作技法においてのみ異なり、構図においては、両者は同等の力と意味をもつ。「絵画、つまり絵は、彩色と制作技法によってのみ、版画から区別される。他の点では、美の根拠は両者にあっては同一である。」無論、版画が絵画より優る場合もある。例えば、絵画においては、光の効果と色の効果を見分けるためには「巨匠の目」が必要とされるが、版画にあっては、「不慣れな目」でも見分けられる。また、版画は白・黒によるので、例えば解剖図のようにより正確性をもつことができる。

しかし、絵画が版画よりも優れている点は、数多く列挙されている。

・絵画は遠くの霞がかったところを自然の色合いで表現できる点で、調和（keeping）においては有利である。

・激しい表現（expression）は、線だけによると、グロテスクになることがある。

・自然のあらゆる部分の色彩は、対象の表現を強めるのに驚くべき力を有しているが、色彩を欠いている版画は、単なる形と単純な光のグラデーションを提供するだけである。

・遠景度（distant magnitude）——遠いものが青みがかっていること——を、版画は色彩を用いないので表現できない。

・版画は透明性を表現できない。

・磨かれたものに反射する物体の色［（例）英雄の鎧の上に映る紅の長い衣の色の光沢］を版画は表現できない。

等々。

「彩色されていない素描は、せいぜいのところ、対象の形を表すだけである。」これが、ギルピンの主張の要点と言ってもよい。「ウェルギリウスは、あらゆる詩人の中で恐らく最もピクチャレスクであるが、我々に形の観念よりも色彩の観念を与えようと意図していた[21]」という言葉にもあるように、ピクチャレスクとは、色彩と深く結びついたものなのである。

ギルピンが色彩に一方ならぬ関心を抱いていたことは、自然を実際に描く際に色彩を付与するにはいかなる方法があるか、言及していることからも知られる。それには三つの方法がある。第一に、実際に手にパレットをもって描くこと。第二に、その場で素描に色をつけ、後で好きな時に絵を描くこと。そして、第三に、自然の中で見た色彩を忘れないために、ギルピンは独特の方法をもっていた。それは、色を記憶する補助手段としての一覧表であって[22]、番号をつけられた微妙な色の一覧表と現実の自然の色彩を見比べて、描いた素描にその番号を書き込んで色彩を記録する方法である。

四　人工と自然

ギルピンは、自然のモノクロームのスケッチを数多く残したにもかかわらず、色彩を最も重要なものと捉えていたのであるが、この構成―色彩という対立は、人工と自然の対比にも対応する。そこで、人工と自然についてのギルピンの考えを明らかにすることが必要となる。（ここで、人工とは、人為性、技術、藝術などを含む多義的な art を指すものとして使用する。）

ギルピンは、産業革命によって開発されていく時代の流れの中で、人工性、都市化といったものを唾棄すべきものと捉えていた。絵というフィルターを通して自然を眺めるギルピンにとって、矛盾とも言える態度ではあるが、年齢を重ねるにつれて、ますます人工よりも自然を重視するようになるのである。湖水地方から帰途につき、ロンドンに近づいていくにつれ、彼は言いようもない不快感を感じ始める。「ロンドンが足早にやってくる。すると大通りに満ちあふれるあのありとあらゆるうんざりさせるもの――我慢ならない煙をあげる煉瓦焼窯――汚物をたれ流す下水や下水溝――集められた糞尿の山とあらゆる種類の汚臭――追いつ追われつ急いで走り行く騒々しい車輪によって舞い上がっては消えて行く濛々たる埃《ほこり》」、それに加えて、「迷惑なゆっくりと動く荷馬車」や「緑色のない村々」や「放牧していない野原、そこには、モーモーと鳴く雄牛が群がって、屠殺場を待ち、あるいは雌牛は、豚のように、穀物を食べるために柵に入れられている」情景が、ギルピンには耐え難く感じられる。(23)

逆に、ギルピンは、湖水地方の山間の生活になにものにも汚されていない無垢性を見ていた。「多くの賢い作家たちは、とりわけモンテスキューは、自然の荒々しい景色が人間精神に大きな効果を与えると想定し、山の多い地方に温和な地域にはない様々な徳を見いだしてきた。……彼らにとって大きな道がないこと、また、湖や山の傍らに彼らの個々の村があって、誰も頻繁に彼らのもとを訪れて交流しないことは、こうした人々の幸福であった。無知は、時には悪徳の母であるが、私は、無垢の養母であることが多々あると理解している。(24)」この時代に、レノルズは多くの無心の子供たちの絵を描き、また、ブレイクは『無垢の歌』(一七八九年)によって、経験以前の清浄無垢な心を描いていたが、そうした言わばプリミティヴィズムの流れが十八世紀末に存在していたのである。

さらに、ギルピンは、美的な理由からも人工に対しても嫌悪感を表明し、「画家風の目(picturesque eye)は、人工を嫌う(25)」と語り、耕された大地、つまり人工的に成形された大地に、不快感を表している。「耕された大地は近くで見ると、常に形式的であってうんざりさせる。(26)」「鍬や鋤の跡、生け垣、溝は、生け垣の木々の形式性や所有地の四角の区分とともに、実にうんざりさせる。しかし、こうした規則的な形が距離によって和らげられると、……大半の醜さも融合して、豊かさと美しさが風景に付け加わる。[27]」

以上のよう見てくると、ギルピンにおいて、人工は自然よりも劣ったものであり、人工は自然と比べて、否定的な立場しか与えられないようにも思えるが、実際には、人工が自然を凌駕することもある。「構成においてのみ——ピクチャレスクな構成のことであるが——自然は人工に屈する。自然は光輝や野性味や想像力にみちている。自然はあらゆるものに活気を与える。自然の色調全体も、部分的色合いも、霊妙である。構成においてのみ、自然は誤る。[28]」自然は構成を欠いており、人工は構成において優るのである。

では、いかなる絵画的構成原理があるのか。最初に挙げられるのが、前景／近景（fore-ground）、中景／側景（side-screen）、遠景（offskip / end-screen）（cf. offscape 1711 初出）である。より具体的には、『湖水地方紀行』では、遠景としては山、中景としては湖、前景としては凸凹の大地、木々、岩、滝、谷があげられている。とりわけ、前景の必要性については、『西部紀行』では、以下のように語られている。「もし廃墟や枝を広げた木々、大胆な岩や、あるいは付帯物を含めて前景となり、中間のスペースを満たし、遠景とバランスをとれるに足る何かあるものを幸運にも見つけられるなら、遠景だけでは与えられない高貴な絵が与えられる機会をもつことになる。[29]」実際に、前景のうまい使い方は、ギルピンのスケッチにも多々認められる。

また、中景・側景に関しては、『ワイ川紀行』の中に、川の岸辺とその蛇行のつくるゆるやかな変化の美しさについて語られた記述がある。「[ワイ川の]情景の美しさは、主に、二つの状況から生じる。そびえ立つ川岸と、入り組んだ流れ。[30]」川の景色は、エリア（area＝川そのもの）と呼ばれ、両側の堤は二つの側景（side-screens）、川の蛇行は前景（front-screen）という名称が与えられ、逆に、「ワイ川がオランダの水路のように、平行な土手の間に流れているなら、前景はないであろうし、そのような二つの側景は、長く延びて一点になるであろう。」こうした風景の中の面（screens）の対照性によって、側景が互いに重なり合うことによって……多様性が生まれ、さらに、地表は絶壁から平原までの川岸となって、藪・低木、木立、岩、建物がそれに付随する。

　こうした遠景と前景は、それぞれ違った原理に支配されている。『湖水地方紀行』[31]によると、遠景では、「穏やかさ」が支配する。また、「雄大な効果（breadth）」や「休息感」は部分を統合する（unite）。それに対して、前景では、「色鮮やかさ（force）」や「豊かさ」が支配する。「色鮮やかさ」とは、「色と光と影の」明暗の激しい対立であり、「豊かさ」は、「諸部分の多様性・輝く色調」から生じる。こうした「色鮮やかさ」や「豊かさ」は、部分を分断する傾向をもつ。従って、前景においては、「この対立が同調する」ことが求められる。

　このような対立する要素をもつ風景全体にまとまりをつけて見ることのできる装置が、「クロード・ロランの鏡／色ガラス」であった。Claude-glasses と複数形になっているものもあることからも分かるように、所謂クロード・グラスには二種類あった。いずれも、現在、ロンドンの科学博物館に展示されているが、前者の鏡は、グレイが旅の伴侶とした平凸鏡《へいとつ》（plano-convex mirror　片面が平ら、他面が凸面）であった。この装置は、近くが強調[32]されるのであるが、その効果についてギルピンは、一つの大きな鏡の中に「何リーグ（league ＝約三マイル）にもわたる領域」が形を与えられる時、その景色はいかに高貴であるか、と語っている[33]。それは、枠の中に風景を切り取るとともに、ニスの色のような効果を与える装置でもあって、まるでクロードの絵を思わせるような色合いで世界を染めるのである。さらに、この平凸鏡には、二種類あった。すなわち、晴天用の「暗い裏箔（dark foil）」と曇天用の「銀の裏箔（silver foil）」のものである。

他方、数種類の色からなるルーペ型の小さな色付きガラスもあった。この装置（クロード・ロランの色ガラス）についてのギルピン自身の評価が、『スコットランド紀行』にみられる。「この種の変容された視覚の長所は、主に新奇性にある。自然は我々に眼鏡屋が与えてくれるどんなものよりも、ピクチャレスクの視点から対象を見るための見事な装置を我々に与えてくれる。[34]」このガラスを通して見た自然は、まるで色のついたセロファンを通して見た世界であるかのように、奇妙な世界を現出させるのであるが、しかしそれは新奇性にすぎず、自然には、それにも優る多様な色彩があふれている、というのである。

人工は構成において自然に優る。それに対して、自然は、「構成においては一様ではなく」（unequal in composition）、「見事なまでの色彩家」（an admirable colourist）である。しかし、一見すると、自然は無秩序であって、構成を欠いているようにとられかねないが、実際には、自然が構成を欠いているのではなく、我々の側が、見方の狭さゆえに、自然のもつ偉大な構成を把握できないと語られている箇所がある。「……しかしながら、この点において我々は、柱の上にとまった蠅のように語る。自然の計画は、我々の狭い視野にとってはあまりに偉大すぎるのだ。もし我々が自然の風景全体をちらっと見て取り込めるなら、ヒルカニア［古代ペルシア］の森を木立として見ることができるなら、ポーランド王国を芝生と、ノルウェーの岸を岩だらけの景色と、地中海を湖と見ることができるなら、計画が正しく構成され、恐らく、画家の目においてさえ、美しいことを発見するであろう。[35]」あるいは、『三つの試論』[36]には、クーパー（William Cowper）の《The Task》の一節、「自然は、神が原因であることの、単なる結果に対しての名称である」という言葉が引用され、自然を楽しむ人々の中では、めったにそういったことに思いを馳せる人はいないと語られている。こうしたギルピンの言葉のはしばしには、終生牧師として過ごしたギルピンの宗教的態度、神学的世界観といってもよい姿勢を垣間見ることも可能であろう。

自然の大いなる意匠を人間は直ちに認識することはできないというのであるが、この主張からも推察できるように、人工と自然の規模は異なっており、自然に対する判断の基準と、藝術に対する判断の基準は、全く異なる。「藝術においては我々は、藝術の規則によって判断する。自然において我々は、自然の形態以外の何ものも基準をもたない。我々は建築を建築の規則によって批評するが、木や山を判断するとなると、それぞれの最も美しい形態によって判断するのであるが、その形態は自然が我々に与えたものなのである。[37]」ウィンダミア湖に舟で漕ぎ出て、遠くの荒々しい山を眺めた時のことを、ギルピンは次のように語っている。「このように広大な場面は、しかしながら、［湖の］中心から眺めると、ピクチャレスクというよりもむしろ興味をそそるものであった。それは画家が用いるにはあまりに広大すぎた。紙やキャンバスに縮小された小さな範囲の中に入れられたなら、全く想像することができないであろう。また、切り取られる部分が大きければ、それはパレットの力すべてを超えてしまうであろう。[38]」以上の言葉の他にも、なぜ絵画的な構成原理が必要なのか、それについて語る言葉は数多い。「あまりに多くのものを含めるのは、風景画において確かに誤りである。それは絵を地図にしてしまう。自然において、快感を与えるすべての眺望が、絵画においても快感を与えると想定することくらい、間違ったことはない。／自然においては、快感は目が次から次へとさまよい、個々のものに注目するところから快感が生じるのであるが、絵画においては、……藝術の規則に心地よく飾られた選ばれたスポットを見ることから生じる。[39]」「藝術家にとっては、範囲（span）に限定がある。彼は、それ故、瑣末な規則を作って、それを〈ピクチャレスク美の諸原理〉と呼び、視野に入るような、自然の表面の小さな部分を自分の目に適合させるだけである。[40]」

この他にも、ギルピンの旅行記の至る所で、自然は絵画の狭い枠に収まりきらないほど大きな存在であることが語られている。しかし、自然の一部を絵画の中に切り取らざるをえないとなると、自然に新たな構図を与えて、なんらかの修正を加えなくてはならない。「自然は構成において最も多くの欠陥があるのだから、多少扶けてやらねばならない。」[41]それ故、後から素描を修正する場合だけでなく、実際に自然と対峙《たいじ》する時にも、単なるリアリズム、あるいは、視覚の喜びには限定されずに、風景美を創造的に想像し、発見し、構成する目が求められる。それが「画家の目」、つまり、ピクチャレスクな目なのである。ギルピンは言う。「こういった地方がどのように改良されるのかと想像することによって得られるすべては、ピクチャレスクな構成の規則におけるまさしく実践なのである。」[42]

結局のところ、ギルピンのピクチャレスク概念を視覚の美学としてのみ捉え、旅先で出会った風景を写実的にスケッチして、その印象を添えて出版したリアリストとしてギルピンを理解することには、大きな危険がある。書斎で、実際に見た風景を思い起こしながら素描を描き直して「想像の喜び」に浸るギルピンにはリアリストから大きく逸脱した姿を見ることができるし、また、絵に収まりきらない自然の威容を眺めてそこに神のディセーニョ（構想）を感じる姿、ピクチャレスク紀行を止めた後も敬虔な牧師として信仰生活に、学校の教師として学校でいかに宗教が意味を持ちうるのか考えたギルピンの姿を考える時、ギルピンにおけるピクチャレスクと想像力、ピクチャレスクと宗教性のテーマは、改めて今後論究しなくてはならない課題として残されるであろう。

注

（1）*An Account of the Reverend Mr. Gilpin of Vicar's-HIll extract from Memoirs of Dr. Richard Gilpin*, Eureka Press, 2004, p. 109.

（2）Carl Paul Barbier, *William Gilpin*, Oxford at the Clarendon Press, 1963, chapters III-VII 参照。

（3）寺崎弘昭『イギリス学校体罰史「イーストボーンの悲劇」とロック的構図』東大出版、二〇〇一年。

（4）William Templeman, *The Life and Work of William Gilpin*, The University of Illinois Press, 1939, p. 192.

（5）この著作は、一〇年以上もたってから出版されたが、タイトルが一年早いのは、図版を製作する上でのアクアティント（aquatint）の技法と関係する。それは腐蝕銅版画製版技法の一つであり、灰色から黒色へと徐々に変化する面のグラデーションを作ることができ、松脂《まつやに》、塩、砂糖などの粉末で孔質の地を作り、腐蝕を繰り返してグラデーションを深める。それ故、墨絵や水彩の効果を出すことができ、エッチングに比して明暗の微妙な変化を表現できる。英語の aquatint（イタリア語 aquatinta）という語の初出は、*OED* によると、*Wye Tour*（1782）となっている。この aquatint の技法は、一七六八年フランスの Jean-Baptiste Le Prince が発明したと言われているが、イギリスでは Paul Sandby が一七七五年にその技法を習得した。W. S. Gilpin が aquatint に挑戦したのは、その直後のことである。

（6）その経緯については、Barbier, op. cit., chap. VI、及び Elizabeth W. Manwaring, *Italian Landscape in Eighteenth Century England*, Frank Cass & Co., 1925/65, p. 184 等を参照のこと。

（7）*Two Essays*, p. 17. *Three Essays*（p. 67）においても、original sketch が原点として常に立ち返るものであるこ

とを主張しながら、些細な修正を認めている。

（8）*Lake Districts Tour* II, p. xxviii.

（9）森林の減少については、その保護活動が活発になってきたことからも、ある程度推察できる。一七五四年に William Shipley によって創設された王立藝術産業技術振興協会（Royal Society of Arts = Royal Society for the Encouragement of Arts, Manufactures and Commerce）は、創設期には大ピットやホガースも加わっており、一七五八年より植樹の功労者にメダルを授与し、これによって五〇〇〇万本以上が植樹されたともいう。この協会は、一七六一年の産業展覧会や、後には一八五一年と一八六二年のロンドン万国博開催を推進した。中山理『イギリス庭園の文化史　夢の楽園と癒しの庭園』大修館書店、二〇〇三年、一七八頁参照。

（10）*Wye Tour*, p. 1.

（11）レノルズとギルピンの書簡のやりとりに関しては、*Three Essays*, p. 36 参照。

（12）*Western Tour*, p. 328.

（13）Barbier, op. cit., p. 98.

（14）ibid.

（15）landscape は、オランダ語の landshap から、画家の専門用語として英語に移入された用語であって、*OED* は、風景画という意味では Sylvester（1603）を、風景もくしは風景画を指す一般的な用例としては Dekker（1606）を、また、「遠い眺望、vista」という意味では W. Parkes（1603）を初出としてあげている。この他にも、オランダ語から英語に入ってきた美術用語は多い。例えば、manikin（← mannequin 人体デッサンをする際の人体模型）1570、sketch（← Schets）1665、easel（← ezel）1634 等。

（16）*Western Tour*, p. 76.

（17） *North Wales Tour*, p. 65. ギルピンのクロード・ロランの評価に関しては、本物ではない絵か悪い状態のクロードの絵を見たのかもしれないというマナリングの説が参考になる。（E. W. Manwaring, op. cit., p. 39.）ギルピンは、レノルズに宛てた書簡の中で、ピクチャレスクという語は、ラファエロやミケランジェロにはあてはまらないとするレノルズに対して、カルトンを除いてラファエロの絵を見たこともないし、ミケランジェロのオリジナルも想像がつきません、と述べている。イタリアへグランド・ツアーに行ったことのないギルピンの絵画体験は、かなり狭いものであったと予想できる。

（18） *Lake Districts Tour* II, p. 46.

（19） Barbier, op. cit., p. 33.

（20） *Scottish Tour*, p.94; *Lake Districts Tour* I, p. 89; *Lake Districts Tour* II, p. 236.

（21） *On Prints*, p. 27.

（22） *Scottish Tour*, pp. 132-34.

（23） *Lake Districts Tour* II, pp. 267-68.

（24） *Lake Districts Tour* II, p. 60.

（25） *Three Essays*, p. 26.

（26） *Scottish Tour*, p. 11.

（27） *Lake Districts Tour* I, pp. 7-8.

（28） *North Wales Tour*, p. 174.

（29） *Western Tour*, p. 27.

（30） *Wye Tour*, p. 83.

（31）*Lake Districts Tour* I, p. 111.

（32）*Forest-Scenery* II, p. 224.

（33）*Lake Districts Tour* I, p. 132.

（34）*Scottish Tour*, p. 120.

（35）*North Wales Tour*, pp. 174-75.（傍点筆者）

（36）*Three Essays*, p. 47.

（37）*Forest-Scenery* II, p. 262.

（38）*Lake Districts Tour* I, p. 153.

（39）*Lake Districts Tour* I, p. 154.

（40）*Wye Tour*, p. 18.

（41）*Three Essays*, p. 67.

（42）*Lake Distircts Tour* I, p. 129.

第五章　水と光と植生のピクチャレスク

――ギルピンの自然観と美観――

序　イギリスに特有な自然美

ギルピンは、『湖水地方紀行』[1]の中で、イギリスに特有の風景美について、以下のように語っている。スイスは「谷の美しさ」によって、ドイツは「川の景色」によって、イタリアは「湖の情景」によって際立っているが、イギリスには「丘や谷や平坦な大地の多様性」がある。例えば、イギリスの川は広々とした川とか曲がりくねった川とか急流といったようなあらゆる性格をもち、河口や海岸の景色には、その岸の形や岩が多いことから、多様性がある。山や湖では、イタリアに太刀打ちできないが、多様性において、いずれの国の景色にも匹敵する。

こうした自然の多様性に加え、イギリスには特有な美があるという。

①森林と耕作地の混交から生じる美。

鍬や鋤の跡、生け垣、溝は、その形式性や所有地の四角の区分を伴って、近景としては醜さを生み出すことも多々ある。ギルピンは、こうした人工的な風景に対しては批判の矛先を向けるが、しかし、そうした風景も、遠景になると調和的な風景と化し、美の源となるという。

②樫の木の美しさ。

「他のどんな国の樫の木も同様の美をもたない。樫は前景の最も高貴な装飾である。横にねじれた枝を張り出して、葉は、幾分秋の濃い色合いに染まる。遠景でも、同じような利点をもつように思われる。形においても、恐らく色においてはさらに、どんな木の木立よりも変化に富んで、美しい木立となる。」伝統的な森林論では、様々な木々の種類について論じられることが多いが、ギルピンの著作においては、具体的な木々の特質について述べたものは比較的少ない。しかし、樫の木は、風景の構図において、近景や遠景として重要な役割を果たすという。

③美化された庭園と公園。

「他の国では人工の手が支配しているのに対してイギリスにおいてのみ、自然がモデルとなっている。」ギルピンは、フランス式庭園に対して、イギリス式風景庭園における自然美にも目を向けているのである。

④多湿性による芝地の緑。

⑤廃墟。

主に、城の廃墟と修道院の廃墟の二つに分けられる。

以上のいずれにも、木々や（廃墟に彩りを添える）草や蔦や苔などが関与している。例えば、『湖水地方紀行』の中では、「あらゆる岩のピクチャレスクな付随物の中で、岩肌の冷たい灰色の色合いと草木の豊かな色調の間の、色彩の多様性と対比ほど、見事な絵画的な効果を与えるものはない(2)」と語られ、また、ギルピンの著作の至る所で、風景のピクチャレスク美を構成する自然の要素として、森、土、岩、大地、野原、山脈、川、湖があげられ、山を覆う木々・岩・起伏ある大地・ヒース・様々な色合いの苔の綾なす美しい色調などもピクチャレスクに寄与するとされている。ピクチャレスク論では、従来、ぎざぎざ（ruggedness）やごつごつ（roughness）といった性質や前景や側景といった形式的な側面がとりあげられることが多いが、本章では、殊に水や光や植物といったものがピクチャレスクにおいて果たす役割を明らかにすることを目的とする。

一　水とピクチャレスク

《湿気・霞》

湿気や霧の深さは、芝地の濃い緑を生み、イギリスの風景に固有の特質を生む。さらに、霧や霞は、視覚的にも、風景にその独自性を与える。「イタリアの空の下では、かなり遠くのものが実にくっきりと見える。この視覚の様態は、明らかにその美をもっているが、せいぜい一つの視覚の様態にすぎない。我々のはるかに霧の多い大気……は、多様な様態を示す。そのあるものは、本来、最も明瞭な光景よりも美しい。(3)」例えば、靄《もや》や霞は、「明るく灰色の色調を付け加えるとはいえ、何も隠さない。自然の色を甘美にするだけである。それは色の輝きを修正して、線のするどさを和らげ、特に、風景の表面に、調和的色調を投げかけて、全体を統一と休息へと混交する。(4)」靄や霞が、しばしばピクチャレスクな景色の中で素晴らしい効果を与えるのは、「一面に広がる色調によって」風景全体に調和を与えるからだ、というのである。(5)

前章でも述べたように、遠景と前景は、それぞれ違った原理に支配されており、遠景では「穏やかさ」が支配し、また、「広大さ」や「休息感」は部分を統合し調和をもたらすのに対して、前景では、「色鮮やかさ」や「豊かさ」が支配するが、それらは部分を分断する傾向をもつゆえ、前景においては、「この対立が同調する」ことが求められる。風景の前景や後景全体をまとまりのあるものとして見ることのできる人工的な装置が、クロード・ロランの鏡であったのに対して、風景をまとめる言わば自然の装置が、霞や靄なのである。[6]

《水のある風景――川・湖・海》

湿気や霞に加えて、ギルピンは水のある風景を高く評価する。ギルピンが最初に行ったピクチャレスク・ツアーはテムズ川の川下りであったし、また、水への愛着は『ワイ川紀行』や『湖水地方紀行』や『ハンプシャー～ケント紀行』といった旅行記の随所で語られる水辺の美しさの描写にも表れている。「風景における水の価値は、それ自体の美しさからも、また、構成上の用途からも生じる。その眩い輝き――その光と影――その反映――静かな水面、かすかに波立った水面、烈しく波立った水面の多様性といったものこそ、まさしく本来の美しさを生む状況なのである。構成において、水は多様な対象に順応する。[7]」風景の雄大な付属物の一つである水の風景は、川の景色、湖の景色、海の景色の三つに分けられる。「こうした幾つかの特徴は、混じりあっていることがよくあるが、単純な形態においては、第一のものは美しさを最も多く分有し、第二のものは雄大さを取り込み、第三のものはほとんど雄大さに拠っている。[8]」主として川は美と、湖は美と崇高と、海は崇高と関わるというのである。そこで、順次、これらについて述べていくことにする。

川の景色に関して、ギルピンは、快適でピクチャレスクな眺めを得ようとしたら、その最も確率の高いやり方は川の流れを辿ることである、と語っている。例えば、ゴッズヒル（Godshill）からのテムズ川の眺めほど心地よい遠景はないし、[9]また、川の景色をとりまく田園風景、羊や牛の群れが羊飼いや牛追いと共に草を食む川辺の情景もピクチャレスク美の重要な要素となる。[10]ワイ川の景勝地パースフィールドにおける前景・後景・側景による風景の構図が、ピクチャレスクの典型であることも、ティンターン修道院がワイ川のほとりに立っていることも、川の景色がピクチャレスクと深い関係があることの証左である。川の景色の中でも、殊に滝の景色はその壮大さゆえに好まれた風景であり、実際に、スコットランドの著名なフォイアー滝は、ギルピンだけでなく、サミュエル・ジョンソンやエリザベス・モンタギュも引きつけた。他方、ギルピンは、こうした川の特徴を人間のエートスに重ね合わせて、川を眺める。「川は、我々に倫理的なアナロジーを与える。その性格は、人間の性格に実によく似ている。激しい休みのない、捩れた、活動的な、のろのろした、穏やかな、豊かな、といった多くの形容詞は、等しく双方に当てはまる。[11]」社会の中でふと出会った人がみせる表情のように、川もその時々に様々な顔を見せる。すなわち、旅の途上で遭遇した、例えば、川下りの途中で遭遇した風景に一瞬立ち止まって魅了される体験であるとか、流れが激しく、速く、あるいはゆったりとしている川の風景体験も、つまり、動画の中の一コマのように体験された風景も、言わば人間化された風景として、ギルピンの目に映じたのである。

しかし、ギルピンの旅行記の中で、水に関わる最も忘れ難い一節は、湖面に映った風景描写であろう。クロード・ロランの鏡には必ずしも好意的な意見をもたなかったギルピンであるが、世界を映し出す鏡としての湖のまばゆさに、幾度となく目を奪われる。湖は山岳風景の産物として、「その水際から木々や岩を、あるいは、天の奥深いところまで映し出す、きらきら輝く鏡」なのであって、また、言い換えれば、自然の生き生きした色調を反映させてまばゆく輝く、自然を取り込む装置なのである。「大気は静かだった。湖は、水晶のように澄んだ鏡の広がりであった。山影は、時には湖水に深い暗い色調を投げかけるが（多くの場合、実にピクチャレスクである）、ここでは柔らかな青い色調に和らげられて、湖面に山の曲線を描いていた。湖の他の半分は、その周辺の輝いているすべてのまばゆい形の明るい印象を受けていた。倒置された風景は、実際の風景よりもはるかに淡い色を添えられていたが、絵として描かれる風景をはるかに超えていた。それは完成されていると言ってもよいほどであったが、仕上げだけが欠けていた。[12]」「湖の表面に生じる幾つかの出来事は、すべて大空とその印象を受ける水の配置によっている。大空が水の色彩の偉大な規制者であることは、どんな画家も知っている。……確かに、その効果は、普遍的に妥当する。どんな場合にも、大空にさらけ出された水は、大空を映す鏡の働きをする。陰気な嵐の暗さの中で、水全体が暗くなるのを見てきたし、澄んだ、風のある天気にあっては、そよ風にさざ波のたった湖は、トムソンが語っているように、砕けた鏡なのである。[13]」湖に映し出された風景を、ギルピンは、「映し出された絵（reflected picture）」と呼んでいるが、ここには、「逆さ富士」を愛でる精神と相通じるものがある。

また、海岸の美しさについては、入り組んだ湾・海の眺望・岬・あらゆる種や形の岩・三角江（入り江）・河口・島々・突き出た半島・広い砂浜などのすべてが、時には、城・灯台・遠景の町・塔・港・艤装用具で飾られ、また、海岸に属する他の偶有的な状況と共に、雄大な素材やピクチャレスクな素材の豊かなコレクションとなる。しかし、ここでもまた、海が示す光と影の広大なマッス、海面で戯れる「輝く色調」がギルピンを捉える。「山の頂に与えられる輝く色調は実に美しいが、常に変化して実に生き生きとした虹の輝きに移りながら、時には数リーグにわたることもある海の色に比べると、それは単純な燦《きら》めき（coruscation）である。[14]」遠くまで光輝く雄大な海の色の変化に、彼は魅了されるのである。

二　光と時間のピクチャレスク

《光のピクチャレスク》

ギルピンがピクチャレスクについて語る時、そこには時間とともに移ろいゆく風景の燦めきや水面に映し出される景色のゆらぎが、変奏曲のように幾度となく繰り返し描写され、それはあたかも印象派の光の波を想起させる。既に述べたように、透明で穏やかな時に周囲の自然を最も明瞭に映し出す湖面の美に、あるいは、海の色彩の変化に魅了されたギルピンであるが、固有色をもたずに、反射光体として変幻自在に色彩を輝かせる雪の風景が、ギルピンの心をとらえる。「モンブランは純粋な雪に覆われて、それ自体の色調をもたないが、最も輝かしいバラ色となることが多々あった。[15]」グランド・ツアーに行ったことのないギルピンにとっては、これは自らの体験から出た言葉ではなく、ロックの言葉の引用ではあるものの、太陽の輝きが「絵の上のニスのように」全く異なるような輝きを雪山に与えることに気づかされる。湖面にせよ、雪の景色にせよ、ロマン派の言うカメレオン的な「否定的能力（negative capability）」の如く、自らの存在性を滅して、周りの対象を反射し、あるいは、反映させて、それと一体化する力を有しているというのである。

さらに、光の変化の中でも、とりわけ落日とともに儚く消えゆく色の変化は、まばゆい景色をつくりあげる。「全体が栄光の場面であった。しかし、それは自然の手によって描かれた栄光の場面であった。あらゆる部分が超越的な光で輝き、全体が見事に調和していた。しかし、それは束の間の幻影であった。眺めている間にも、それは消えていったのである。数分もすると、残されたものは、偉大な輪郭、その場面の壮大な構成だけであった。我々はこうしてその場に我を忘れて佇《たたず》んだ。[16]」また、『西部紀行』の中でも、同じような体験が語られている。「ウェールズへと続く道は、その景色の自然な偶然的な美しさから、ひときわピクチャレスクであった。うす靄のかかった夕暮れ時、太陽は低く傾き、大空の半球を覆う深紅の雲に隠れてはいたものの、いまだ西の地平線には届いていなかった。その低い周辺部は、まばゆい輝きで黄金色となり、その輝きは拡散する光線としてではなく、一様の赤みがかった輝きとして下方に広がっていた。その下で、大気の霞と一体化して、豊かであるが落ち着いた色調となり、右手に険しく聳《そび》え立つドゥルコテクヒル(Durcotechill)、その背後のウェールズの塔、遠方のすべての対象は、その色調に染まっていた。他方、輝く景色とは対照的に、前景は夕暮れの実に暗い翳りに一面を覆われていた。全体は共に想像力を要請することなく、絵筆を誘ったが、それも一瞬の景色であった。眺めていると、太陽は雲の中に沈み、大気の靄によってその輝きを奪われ、火の玉のように地平線に落ちていき、輝き全体は消え去った。[17]」

さらに、ギルピンは、美しい風景を求めて、視覚の領域を超えて想像力の世界に入り込む。「湖を月の光で眺めたなら、我々の感興も増したであろう。というのも、絵においては、対象に光を与えると同時に何らかの効果を与えるように、光をかすかに行き渡らせることは実に難しいが、実際には、こういった情景には、驚くほどの荘厳さと壮大さを伴っていることが多々ある。[18]」ギルピンは、目の前の風景よりも完璧なものとして、夜の月の光に照らされた湖を想像するのである。

《時間の相関者としてのピクチャレスク》

「絵のような風景」という意味を強調すると、本来空間藝術である絵と時間は結びつきにくいように思われるが、しかし、ギルピンは旅の途上で心に残る風景をスケッチしたのであるから、当然のことながら、時間的経過のもたらす風景の変化は、彼の注意を強く引きつけた[19]。例えば、殊に夕暮れ時の風景の美しさは、昼間のより強い日差しの中で見られる風景とは全く異なるものとして、ギルピンの目を捉える。ギルピンの目は、時間意識への鋭敏な感受性を伴って、そうした瞬間ごとの光の移り変わり、一日の微妙な光の変化に、向けられるのである。「その眩しい輝きに満ちた真昼の光は、風景に光を溢れさせて好ましくない[20]。」「真にピクチャレスクな絵画的描写においては、光より影の方が重要である。自然において、昼の光のもとでは、こうした美しい外観はみられない。画家は、夕方や朝を選ぶ[21]。」「特に山の多い地方では、私はしばしば朝方に、小高い山々が、不揃いの幻想的な姿で頂を聳えたたせているのを見た。午後は、このすべての不正確なぎざぎざしたところがなくなり、どの異形の頂も快い形に美しく和らげられてしまったのである[22]。」「我々は（この主題に関して）異なる光の検証に耐える風景はほとんど無いと語っておきたい。太陽の巡るのに応じて、鋭い太陽光線が、その風景の欠点をあらわにする。従って、ほとんどすべての風景は、ある特定の光のもとで――夕方の、朝の、正午の光の下――恐らく最もよく見える[23]。」このように一日の瞬間の光の変化のもたらす効果について語るギルピンは、科学的な色彩論を根底にしていなかったものの、朝・昼・夕刻の光の中でその相貌を変化させる寺院や麦藁を描き分けた印象派を想起させる。

さらに、刻一刻と移り変わる時の変化のみならず、めぐりくる季節、長い年月のもたらす風景の変化を、ギルピンは敏感に察知していた。その中でも特にピクチャレスクと結びついていたのが、廃墟の美である。まだ廃墟となっていない建築物は、あまりに規則的である。例えば、コンウェイ城においては、諸部分はくだけているが、完全であるので、十全なピクチャレスクな全体を生じさせない。そして、さほど植生に飾られてもいない。それに対して、廃墟にあっては、「時は規則のあらゆる痕跡を消し去り、のみの鋭い縁を鈍らせて、相反する諸部分の規則性をこわしている。」例えば、ティンターン修道院にあっては、「時は規則のあらゆる痕跡を消し去り、のみの鋭いエッジを鈍らせ、相反する諸部分の規則性を破ってしまった。[24]」時とともに、規則的な秩序は失われ、そこに人の手は跡形なく消え去ってしまう。と同時に、そこには新たに、時とともに、蔦や苔や草花といった装いが風景に彩りを添えることになる。「時の装飾がこれに付け加わっている。蔦が並外れて大量に壁の多くの部分を占めて、建物を構成している灰色の石と幸運な対照をなしている。これは装飾されていないわけではない。様々な色合いの苔が、センノウ、クジャクシダ、ルリソウや他の小さい植物と共に、表面をおおい、どこの角からも割れ目からも垂れている。あるものは花が咲き、あるものは葉だけであるが、一緒になって満開の色調を与え、廃墟に最も豊かな仕上げが添えられている。[25]」『北ウェールズ紀行』[26]の中では、城が廃墟の状態から受けるピクチャレスクな利点として、以下の点があげられている。①形全体の不規則性。「我々は確固たる角張った重々しい形を嫌う」が、廃墟はそれに変化を与える。②部分の不規則性。「軒蛇腹、窓、アーチ、狭間胸壁は、もともとの形はみな規則的であるが、廃墟からわずかな不規則性を受けて、目は新たな歓びをもってそれをじっくり見る。」③時から受ける様々な色から最も豊かな装飾を受けること。「それは、天候の汚れを受ける。例えば、苔に覆われていること、様々な色調の野草、ゴシック様式の窓には蔦の花綱が垂れ下がり、アーチには壊れた外角から伸びた花輪が垂れ、壁の上には小さな捩じれた灌木が育っている。それが四方を占めて、線をぎざぎざにするのに貢献する。」廃墟とは、人工が自然へと回帰する途上にあるものであり、すべての規則的なものは異形なるものへと変貌を遂げる。その形態的な特質がピクチャレスクの典型的な特質として語られているぎざぎざ(ruggedness)やごつごつ(roughness)なのである。roughnessとは「対象の表面に関わる性質・ごつごつしていること」、ruggednessとは「輪郭に関わる性質・ぎざぎざしていること」であって、その具体的な例としては、「木の輪郭や樹皮」「山のでこぼこした傾斜や岩だらけの斜面」があげられる。また、roughnessや

ruggednessという語以外に、brokenという用語も多用され、例えば、broken groundは、芝生と土が混在している起伏やでこぼこを指している。こうしたぎざぎざした、ごつごつしたものは、多様性（variety）や対比（contrast）を生み出すのである。

以上の形態的な特質に加え、時間的相関者として、以下のものがつけ加わることによって、まさしく「絵筆に適した」同様の特質が生じる。①ちぎれ雲の浮かぶ空。②深い霧で半ば暗くなり、恐ろしいほど暗い空と入り交じった山。③突風に曲がる木々。④底からかきまぜられたかのように泡立ち、すべての岩の突出部が水泡で白くなっている湖。

三　植生とピクチャレスク

時間の相関者としてのピクチャレスクとは、なによりも光の中で瞬時に色彩を変えてゆく風景美であるとともに、季節や歳月の経過の中で変化してゆく風景美であった。そこで殊のほか姿を変えるのは、木々や草花である。そうした草木が、ピクチャレスク美を生み出す大きな要因なのであるが、それは、ピクチャレスクの構成面に寄与するというよりも、偶然的な美しさを生み出す契機であった[27]。

《樫の木》

ギルピンは、木々の中でも殊に樫の木が特に美しいという。「ピクチャレスク愛好家にとって、幸せなことに、この高貴な［樫の］木は有用であると同時に美しい。」これに関して、ギルピンは、ウェルギリウスの例を持ち出して説明している。[28]①どっしりとしていること、②枝の頑丈さ、③枝のねじれ、④枝葉のひろがり、⑤長寿。また、樫の木が、木々の偶有的な美に寄与するものとして、木々の動きがあげられる。「揺れる木の先端や波うつ動きは、その形にたえず多様性を与える。自然の中の木々の動きは、確かに大いなる美の状況となる。[29]」「木の動きから、戯れる葉の間に陽光が踊ることによって、木の下に市松模様の影という快適な状況も生じる。[30]」

《枯れ木》

木の特質の中でも、殊に枯れ木のもつ異形なる形が、ギルピンをとらえる。それは、植物学者ローソン(Lawson)が嘆くように、木の病こそピクチャレスク美の主要な源となるということでもある。「例えば、ごつごつの前景にあって、凹んだ幹や、枯れた大枝、うなだれた枝のある老木ほど、美しいものはあるだろうか。[31]」「こうした病は、自然の野性的な景色にあっても人工的な風景にあっても、ある特定の構成様態に付帯している場合には、美しさの唯一の源となる。[32]」また、「荒涼たるヒースが目の前に広がる時、野性やわびしさといった観念が求められる時、ごつごつの、砕けた、葉のない樫の木ほど、適切な付随物があるだろうか。[33]」また、絵においても、サルヴァトール・ローザの作品では、枯れ木がうまく用いられているという。「若い木や藪は、恐らく構成に関しては、目的を達成したかもしれないが、そうした小さな木や若い木は、朽ち果てた高貴な木ほど、ローザの絵の威厳を保ちえなかったであろう。……それらは、ある嵐や落雷や風景にその大きな観念を伝える大事件の歴史を記録している。そして、高邁な主題の表現によって、崇高を支えている。[34]」

《紅葉》

紅葉の美しさについては、『湖水地方紀行』をはじめとして、多くの箇所で語られている。「一年が過ぎ去るにつれて、こうした景色はどれも変化し、新たな色彩の集合をつくりあげる。牧場は燃え立つような色合いとなり、穀物は黄色に、森は秋の色調に色づく。こうした状況でいっそう美しくなることもあれば、不調和になることもあろう。自然の植生ほど、儚く不確かなものはない。(35)」

《苔》

偶有的な（adventitious）美が風景美を高めるのに、苔も重要な役割を演じる。「下等植物、灌木、花にあっては、それなりの美しさがあるとはいえ、こうしたいっそう瑣末な産物は、主に個物として美しいのであって、風景における構成の配列をなすためには適していないし、光と影の効果を受け入れるのには適していない。それ故、美しさの点で――少なくともこれまで我々が考察してきたピクチャレスク美の点で――木の形や葉や枝と同類である。(36)」このように、苔の美しさが語られるところに、先にあげた紅葉を愛でる精神と同様に、日本的な感性が感じられる。また、色のないスケッチを多く残したギルピンであったが、苔のもつ色彩への鋭い感性が旅行記のいたるところに垣間見られる。「苔の多様性――橅《ぶな》の木の幹を色付ける緑、樫の木を色付ける硫黄色や黒色、楡《にれ》の木や梣《とねりこ》にしばしばみられる黄色は、木の皮を美しく装わせるこれらの色調の最も美しいものに数えられる。(37)」苔には、白い苔、暗褐色の、黒に近い、灰色に近い苔、黄色の、赤の苔などがあって、それは風景に彩りを添えて、目を長く引き留め、絵筆の用途に大いに仕えるというのである。

《根》

地上に出た根も、「それは病であろうが、確かにピクチャレスク」な対象として相応しい。「それが土を盛りあげ、多数の根のこぶが隆起すればするほど、大地の上にしっかり根付いているように見え、より威厳を増すことになる。[38]」

《動物》

植物とピクチャレスクは相即不離の関係をもっているが、しかし、動物もまたピクチャレスクと関わっている。『湖水地方紀行』では、ピクチャレスク美を成立させるための契機として、馬と牛が比較されている。「ピクチャレスクからすると、牛の方が有利である。第一に、馬の線は丸くスムーズであり、変化を容認しない。他方、牛の骨は高いので、角張ったところでここかしこ線に変化を与えるが、そこにピクチャレスクがある。……牛は通常古い毛が抜ける四月と五月に最もピクチャレスクである。[39]」あるいは、山羊は、ピクチャレスクな風景において必要な装飾[40]であり、羊も馬や鹿よりも田舎の景色を飾るものとみなされている。結局、自然の山や川や植物や動物など、すべてが一つのまとまりとして画面を構成するのであるから、「風景を学ぶ者は、動物や人物像の選択と結合に十分注意を払わなかったら、かなり欠陥をもつことになってしまう[42]」というのである。

結び

ギルピンの自然観においては、自然の偶然的な佇まいが、つまり、異形と言ってもよいような、こぶのある根っこや雷で打ち裂かれた木の幹も、あるいは、廃墟を覆う苔までも、ピクチャレスク美の一因となる。このように一見すると美しくない異形の自然が重要な役割を演じていることをみると、そこには、絵のように美しいのではなく、まさに絵になる、人目を引く、奇抜な、といった意味合いが、つまり、十八世紀前半の新古典主義的な単純性の美学から逸脱する契機が、内包されているとも言える。後にコンスタブルは、切り株の絵を描き、また、「私はいまだかつて醜いものを見たこと」がないと述べたが、ギルピンには既にそれと同じ傾向に至る思想が明瞭に姿を現し始めているのである。

注

（1）*Lake Districts Tour* I, 1786 , p. 6.
（2）ibid. II, p. 230.
（3）ibid., p. 11.
（4）ibid., p. 12.
（5）*Western Tour*, 1798, p. 161.

（6）本書第四章九四頁参照。
（7）*Hampshire Kent Tour*, 1804, p. 1.
（8）ibid., p. 2.
（9）ibid., p. 115.
（10）ibid., p.3.
（11）*Lake Districts Tour* II, p. 120.
（12）*North Wales Tour*, 1809, pp. 139, 159.
（13）*Lake Districts Tour* I, p. 104
（14）*Hampshire Kent Tour*, p. 4.
（15）*Lake Districts Tour* I, p. 94.
（16）ibid., p. 183.
（17）*Western Tour*, p. 129.
（18）*Lake Districts Tour* II, p. 83.
（19）プライスも、光や時間に対して、全く同じような感性をもっていた。この点に関しては、拙稿「ピクチャレスクと〈動きと時間〉――プライスのピクチャレスク美学の一断面」『諸藝術の共生――齋藤稔教授退官記念論文集――』渓水社、一九九五年参照。
（20）*Scottish Tour*, p. 99.
（21）*Lake Districts Tour* I, p. 170.
（22）*Wye Tour*, p. 44.

(23) ibid., p. 45.
(24) ibid., p. 33.
(25) ibid., pp. 33-34.
(26) *North Wales Tour*, p. 122.
(27) 森の偶有性については、*Forest-Scenery*, 1791, secs. IX- X 参照。
(28) *Forest-Scenery* I, p. 26.
(29) ibid., p. 20.
(30) ibid., p.21.
(31) ibid., p. 8
(32) ibid., p. 10.
(33) ibid., p. 14.
(34) ibid., p. 9.
(35) *North Wales Tour*, p.190. cf. *Lake Districts Tour* I, p. 91.
(36) *Forest-Scenery* I, p. 1.
(37) ibid., p. 10.
(38) ibid., p.19.
(39) *Lake Districts Tour* II, p. 252.
(40) ibid. I, p. 223.
(41) ibid. II, p. 259.

（42） ibid. II, p. 261.

第六章　表象としての風景美
――ギルピンとアリスンの風景思想を中心として――

序　森の減少

イギリスの十八世紀においてとりわけ注目されるのは、自然に対する関心の高まりである。トムソンの『四季』やマクファースンの『オシアン』の影響もあって、海や川や山や森などの野性味あふれる自然が好まれるようになった結果、自然探索の旅行熱も生まれ、景勝地を紹介した旅行記やガイド・ブックの類も出版されたのに加え、ウェールズやスコットランドや湖畔地方の山岳風景画も数多く描かれた。ところで、一般に森と訳されるForestは、歴史的には法律用語として王侯貴族が鹿を飼う権利をもっている土地を指し、従って、木々が全体を占めていたわけではなくそこには荒地やヒースなども含まれていた。[1]そうした森は森林法の適用を受け、王侯貴族の娯楽である鹿狩を続けるために保護されていたが、特に十六世紀頃から経済的資源として急速に伐採され始めていた。[2]例えば、ジョン・イーヴリンは『森』（一六六四年）の中で森林の減少を「伝染病」と評し、その状況について次のように述べている。「最近の造船の増加だけでなく、ガラス産業、鉄鋼業などの増加から、我々の木材のこの無得策な減少が生じてきましたが、極端なまでの農耕地拡張からも、……我々の慎重な先祖が国家の装飾や公益のために守ってきた良質の多くの森林や森を切り倒すだけでなく、それを根こそぎにし荒廃させ言わば倒壊させる傾向が生じてきました。[3]」それに加えて、火薬製造の重要な原料となったのは木炭であったし、[4]また、多量の木材が建築のために使われた。[5]とりわけ産業革命以降、木材は、燃料として消費されたのに加え、風車や水車、荷馬車、船などの他に、工場で使われる織機や機械の一部にも使用されたのである。それ故、産業革命の重要な課題は、木材に代わる資源の発見にあり、石炭が動力資源として用いられるようになると、一時的に木材の需要は減少した。しかし、十七世紀後半になると表層の石炭の埋蔵量が尽きてしまい、新たにより深い坑道が掘られることになったが、その坑道も出水に見舞われたために、新たな石炭危機がもたらされたのであった。やがて、この排水問題も、一六九八年のトマス・セイヴァリ、一七一二年のトマス・ニューコメンによる蒸気機関を利用した排水装置の発明などによって解決されるに至って、石炭危機は回避され、動力資源は完全に木材から石炭に移行したのであった。十八世紀初頭には約二〇〇万トンであった石炭の産出高は、一七五〇年には四八〇万トンに、一七七〇年には六二〇万トンにまで、増加したという。[6]

こうして燃料としての木材は石炭にとって代わられたが、木材の需要は減少することはなかった。このことは、イギリスがノルウェーから、そして後にはアメリカやインドから買い付けていた木材の輸入量を見ても分かる。[7]しかし、多量の木材が輸入されたとはいえ、開墾などの理由から、森は依然として伐採され続けた。ギルピンが『森林景観論』の中で森の減少について、「我々がニュー・フォレストのあらゆる場所で行われているのを見てきた破壊と、毎年海軍のために切り倒され、さらに様々な目的のために恒常的に割り当てられた木材の量は、その景色にかなり大きな変化をもたらさずにはいない。……この著作を執筆し始めてからも、個々の場所で多くの変化が生じてきた」と嘆き、そのように無闇に木々を切り倒して利益を得ようとする森の所有者を監督者の監視下に置くべきだと主張したのも、[8]一七九一年のことであった。ジョン・

イーヴリンの影響をかなり受けたこの著作の中で、ギルピンは、一三〇年ほど前にイーヴリンのあげた七七の森林のうち、現在ではウィンザー、ディーン、シャーウッド、ニュー・フォレストなど一一の森しか残されていない、と語っていることをみても、[9]森林の減少の状況は推察できよう。十八世紀末には、イギリスは北ヨーロッパ諸国の中で最も森林の少ない国になっていたのである。[10]

森林の減少が直接的に自然美を慈しむ流行を促したとは言えないにせよ、例えばギルピンの『森林景観論』にしても、一方で森を伐採することを批判しながら、他方で木や森のピクチャレスクな美について多くを語っていることにもみられるように、自然の減少を嘆くことと、自然美を慈しむこととは、自然愛の裏表の表現であった。つまり、今日においても、生態学や経済学が自然を物的資源とみなす見方から自然の減少に危機感をもち自然保護を唱える背後には、自然を精神的資源とみなしてその美しさを愛でる気持ちもあるわけであり、従って、自然と人間との関わりを統合的に捉えるためには、風景美に対する考え方も当然考察しておかねばならないであろう。本章では、イギリス十八世紀末のほぼ同時期に活躍し、自然美に関して最も特徴的な思想を展開したギルピンとアーチボルド・アリスンをとりあげることにする。

一　ギルピンの風景論
――ピクチャレスクな対象の多様性と統一性――

ギルピンの思想の主題は、ピクチャレスク美である。彼は、木がこのピクチャレスク美をもつには、フォルムと軽やかさと均斉が必要であるとする。しかし、ピクチャレスクは「かなり気まぐれな性格」をもっており、例えば、空洞の幹をもった枯れ木、うなだれた大枝、〈美しき病〉としての苔、寄生植物、根が地面の上に出た木や、木の先端の揺らぎや波のような動きも、偶有的な美（adventitious beauties）をもつという[11]。また、木立や森について考察が行われている『森林景観論』第二巻でも、対比や均斉について論じられた後、天候や季節が与える偶然的な美（incidental beauties）が、森に多様な外観を与え、森の美を生むとされている[12]。こうした偶有的な美は、木々の美の中心をなすものではないが、全体の風景にアクセントを付ける役割を有するのである。「こうした病は、自然の野生的な景観であれ人工的な風景であれ、或る特殊な在り方の構成に付随する物である場合、まさに美の唯一の源である[13]。」ギルピンのいう偶有的な美とは、シャフツベリの美観に対比させていうなら、「至高の君主的な美」ではなく現象の美、「第一の美」ではなく多様性に関わる美と言ってもよいが、この風景における多様性こそギルピンがピクチャレスクを成り立たせる一つの契機として重視したものであった。「単純性と多様性は、一切のピクチャレスクな効果の源泉として漠然と認められているものである。いずれもその効果を生じさせるであろうが、それは概して一方の性質を帯びる。風景は単純性に近づくと崇高に近づき、多様性が支配する時、美に向かう[14]。」つまり、美は多様性と、崇高は単純性と深く関わり、両者とも異なるピクチャレスクは、単純性と多様性の両方に関わる概念として規定されたのである。そこでまず、風景の多様性に焦点を合わせて論じることにする。

第一に、ギルピンは、ピクチャレスクな対象の性質について次のように語っている。「ピクチャレスクな構成は多様な部分を一つの全体に統一することにある。そして、この諸部分はごつごつしたもの（rough objects）からしか得られない[15]。」ピクチャレスクな構成は多様性の統一にあるという主張自体はきわめて伝統的な美の原理にすぎない。しかし、多様な部分の形態的特質としてあげられている、表面がごつごつしている性質は、輪郭のぎざぎざした性質（ruggedness）や不規則性とほぼ同類のものであって[16]、例えばピクチャレスクな対象の代表とされているものが秩序だった建築ではなく形のくずれかけた城や寺院の廃墟であることが示しているように、古典主義的なフォルムや均斉や秩序から逸脱した畸形・無秩序などに接近した概念であった。そこに、ギルピンのいう「多様性の統一」概念の新しさがあった。しかし、ごつごつしたものとは、美しい対象にでこぼこでごつごつした表面を与えるなら快感を与えないというバークの美観[17]に対する反論として語られたものであるにせよ、既に十八世紀初頭にアディスンは「藝術の繊細な筆触や美化よりも、自然の荒っぽいなげやりな筆致のほうが、大胆で見事なものがある[18]」と述べ、また、中葉にウィリアム・チェインバーズ等の庭園論の著者たちは、ruggedness に注目していたことにも表れているように、この種の嗜好《しこう》は徐々に形成されていたのである。

第二に、風景の多様性は、動的なものとも深く関わっていた。彼の記述の中には、山間に遊ぶ羊や牛の群れや風に揺れる木々や光の彩なす陰影や川面に揺らめく映像などの印象主義的な描写が実に数多くあげられているが、それは、変化する現象、移ろいゆく様を楽しもうとする姿勢の表れでもある。数例を挙げておこう。「木の動きから、戯れる葉の間に陽光が踊ることによって、木の下に市松模様の影という心地よい状況も生じる。[19]」「単調に四〇マイルも続く荒野においてさえ、必ず目を楽しませるものがある。［ヒースと緑の草木とが交互に現れ、その上に光が降り注いでいる景色の中で、丘辺に群がる］牛や羊の群れは完全な絵である。[20]」

第三に、風景を構成する多様性とは、対象の動きだけではなく、見る主体のピクチャレスクな目の時間的移動（つまりピクチャレスク・ツアー）と相関的に出現するものでもあった。単調に見える自然でも、そこをさまようなら、様々なものがたち現れる。従って、自然の中をさまよい、様々な絵になる景色に「思いがけず出会う[21]」ことこそ、ピクチャレスク・ツアーの醍醐味だったのである。「自然美を求める際に、我々は森や湖や岩や山の間をあてどもなくさまよう。我々が出会う多様な景色は、尽きせぬ喜びの源を与える。そして、人工物がしばしばこうした景色に活気とコントラストとを与えるかもしれないが、それは必ずしも必要ではない。我々はそれがなくても楽しめる。しかし、キャンバスにある風景を取り込む時、つまり、目が絵の枠に閉じこめられねばならず、もはや自然の多様性の間をさまようことができない時、技の助けがより必要となる。そこで、この景色に重要性を与えるには、家畜や修道院が必要となる。確かに、風景画家は、自分の眺めをこの種のある対象によって性格づけないなら、それを完全なものとはみなさない[22]。」ここには、ピクチャレスクという概念において、多様性が求められる所以が端的に語られている。つまり、画家は、自然の中にあってはさまようことによって多様な景色を楽しむことができるが、絵を描く段になると、一つの狭い静止した枠に制限されるがゆえ、なおさらピクチャレスクな対象を人為的に取り込んで絵に多様性を与える必要があるというのである。

他方、ギルピンは風景の全体的統一性（つまり、多様性の統一の側面）も重んじた。「すべての藝術作品だけでなく自然においても、諸部分が全体よりも目を引きつけるならば、それは最も明白なピクチャレスクの規範の破壊である[23]。」「荒っぽい自然の景色さえ、たとえそれ自体がいかに快適であるとしても、かりに目がそれを一つの全体に結びつけることができるならば、さらに快適である[24]。」ギルピンが風景の「構成と色彩と光とを一つの包括的な眺め[25]」として捉えることもピクチャレスクな見方にとって欠くべからざるものと考えていたことは、彼の用語法にもはっきり表れている。すなわち、picturesque という単語の主要な意味をあげるなら、美的品質を表すものとして単独で名詞的に使用されている場合に加えて、「ピクチャレスクな性質に対する感性や審美眼をもった」という意味で使われている場合（picturesque eye/traveller）もあるが、ギルピンが定義した意味、つまり「絵の主題として適した」という意味[26]では、風景の個々の対象の多様性に関わる用例（picturesque objects/materials/subjects）と全体の構図に関わる用例（picturesque composition/assemblage）とがある。すなわち、ピクチャレスクとは、風景の部分を構成する個々の対象に関わる概念であるとともに、その全体的な構成にも関わる概念であって、全体と部分が「結び付けられ、対比される[27]」ことをもってはじめて成立するものなのである。「壮大な一つの風景が、それと調和しそれに二重の価値を与える偶然的な状況の雰囲気を伴って、予期せず眼に飛び込んでくる時ほど、大きな喜びはない[28]」という言葉も、単なる崇高な風景を賛美しているのではなく、壮大でありながら様々な付帯的な事物と調和したピクチャレスクな景色について語っていると理解しておかねばならない。

　この部分と全体（多様性と統一）の関係として捉えられるピクチャレスクは、距離の観念（風景の前後の関係、あるいは「ピクチャレスクな目」が風景に対して占める位置と言ってもよい）を前提としたものである。例えば、エディンバラの岩場の上に建てられた城の眺めについて、ギルピンは、その城や岩場の一部にはピクチャレスクな部分はあるが、あまりに巨大な岩は高貴なほどにごつごつしていて、「適切な距離をとらないなら、絵としてはあまりに大きすぎる[29]」と述べている。部分的にはピクチャレスクな対象が見られるにせよ、全体としてみるなら、ピクチャレスクな構図はない、というのである。しかし逆に、遠景だけからなる風景もピクチャレスクとは言えない。「かりに前景となり中間の空間を充たし、遠景に釣り合うくらい大きな廃墟や枝を広げた木やけわしい岩などとその付随物を幸運にも見つけられるなら、遠景だけでは与えられない高貴な絵を眼前にする機会が得られる[30]。」ギルピンにとって、ピクチャレスクな風景とは、たった一つの雄大な対象からなるようなものではなく、前景や近景や遠景、あるいは川の景色では川面・前景・側景[31]を占める対象によって構成されるものなのであり、事実、彼のスケッチには、遠景としては雄大な山や森が、近景としては湖や廃墟が、前景としては大きな木が描かれていることが実に多い。また、旅行者の持ち歩いたクロード・グラスと呼ばれた平凸鏡[32]の効用の一つも、風景全体の総合的な効果と部分的な対象の形と色調の美しさとを一つの眺めとして見ることができるところにあった。「もし鏡が何らかの特別な利点をもっているとするなら、それは目に焦点を変えさせない点にある。……自然を眺める時、目は遠景を見る場合と前景を見る場合では焦点を変えなくてはならない。この焦点の変化は、……ある混乱を生む。鏡においては、我々は全体を一つの焦点で眺めるのだ[33]。」

以上見てきたことから明らかなように、ピクチャレスクという絵画的原理が彼の風景体験を支配していた。しかし、ギルピンがアルズウォーターの散策の途上、その野生的な自然の趣が失われた場所に来た時、その景色の人工性を非難したことや[34]、「庭園の景色はしばしばなんと平坦で味気ないことか[35]」と嘆いていることや、「我々の趣味が自然の研究によって磨かれるにつれて、人工の所産は味気ないものとなる[36]」と語っていることにも示されているように、ギルピンの著書には到るところに、彼が人の手を加えられていない自然を好んだことが語られている。では、ギルピンは天然のピクチャレスクな風景を探し求めて、その視覚的な眺めの面白さだけを享受していたかというと、必ずしもそれだけではなかった。彼にとって風景を見る喜びとは単に絵になる風景を眺めて得られる視覚的な享受の喜びに限られるわけではなく、そこには想像体験と関わる部分も存在していた。ギルピンは、珍しい対象に遭遇しそれを分析的に見る喜びやなかんずくそれを直接体験する感動について述べた後、次のような喜びをつけ加えている。「我々が賛美する景色を今楽しむことよりも、それを二、三本の瞬時の線によって、回想しつつ記録として描き留めることのほうが喜びは大きい。もしその景色が特別雄大であるなら、この二次的な快感は実景に伴うような熱狂的な感情を伴うことはありえない。しかし、一般的には、それはより穏やかな種類の快感かもしれないが、より不変的で持続的なものである。[37]」ピクチャレスク・ツアーの喜びには、実際の風景体験の喜びがあるが、それに加えて、後になって「空想の景色」を絵や詩として創造的に描く喜びも、さらには、目を閉じて様々な風景のイメージを思い出し変容させて、言いようもない見事な景色を生み出す空想の喜び[38]までもあるというのである。ごく一般的には、ピクチャレスク美学が称揚したのは視覚美であると言ってよいが、少なくともギルピンにとっては、想像的に風景を構成してゆくことも重要な風景体験だったのである。[39]

二　アリスンの風景論
――観念連合と風景の性格――

風景美は、形と色と陰影の彩る視覚美に尽きるものではなく、本質的に想像力と関わる。この点を観念連合心理学の視点から理論的に説き明かそうとしたのが、アーチボルド・アリスンの『趣味の本性と原理に関する論考』（一七九〇年）であった。無論、ロック以来の観念連合を風景論に適用したことは、アディスンをはじめとして十八世紀の思想家に多かれ少なかれ見られる傾向であって、例えばヒュームは、有用性の観念を取り上げて、それが風景の美観に大いに関連することを示唆していた。「ハリエニシダやエニシダが一面に生えた平原は、本来、ブドウやオリーブにおおわれた丘と同じように美しいかもしれないが、両者の利用価値［の相違］を知る者の目にはそうは映らないようである。しかし、これはまさに想像の美であって、感覚に現れるものにはなんら根拠をもたない[40]。」ブドウやオリーブの木の美しさといった特殊なケースを風景論一般に適用できはしないが、対象が連想させる有用性の観念（ヒュームにあっては人間に何らかの幸福をもたらすものと関係する観念）が視覚的な美しさと交錯して風景の美観を高めることがあるという視点は、その後のケームズ卿ヘンリー・ヒュームの美学にもはっきりと認められる。彼は、視覚的対象の美を感覚に基づいた内在美と良い目的や用途に関係する相対美とに分けて、前者においては、例えば「枝葉を広げた樫の木や流れる川の美を知覚するためには、単に視覚の運動以外のものは必要でない」のに対して、後者においては、形や均斉が欠けている木も、もしそれが立派な果物をつけると知らされる（つまり有用性の連想が生じる）なら美しく見えると述べ、観念連合を伴う美に注目したのであった[41]。さらにまた、十八世紀中葉の庭園論にも連想心理学的傾向は顕著に認められる。

アリスンもまた、形自体に美を認めるホガース流の美学に反論して、「対象の美と崇高は、物質ではなくて連想された性質に帰せられる[42]」と述べている。この点は、具体的に次のように説明されている。「我々は、自然の風景の美や崇高のいずれかを感じる時、つまり春の朝の陽気な燦めきや夏の夕暮れの穏やかな輝き、冬の嵐の野蛮な威厳や嵐の海の野性的な荘厳さを感じる時、対象自体が目に現前させうるものとは全く異なる多様なイメージを心の中に意識する。快適な思想や厳かな思想の連鎖は、我々の精神のうちに自ずと湧きあがり、我々の心は、目の前の対象を本来の原因としていないような情緒でいっぱいになる[43]。」アリスンは、このように想像力に強い印象を与えて美や崇高を高める効果を与えるもの（例えば、深い森の中心にある古い塔、岩間の渓谷にかかる橋、絶壁の上の小屋など）をピクチャレスクな対象と名付けている[44]。しかし、代表的なピクチャレスクな対象である廃墟に対する考え方においても、アリスンが形の不規則性に注目したギルピンと全く異なっていることは、彼の引用するウェイトリの文章の中に端的に示されている。「廃墟を見ると、我々の目の前にある転変や破滅や荒廃についての内省が自ずと浮かんできて、それらによって注ぎ込まれたあのメランコリーに色染められた、長い連鎖の別の内省が導き入れられる。[45]」アリスンは、このように景色が醸し出す陽気やメランコリーや悲しみといった情緒的特質を「性格（character）」、それと繋がる一連の観念やイメージを「感情の観念（idea of emotion）」と呼び、ある風景が崇高であったり美しかったりする時は必ずある情緒性を帯びた性格や表情をもち、その性格と関連した様々な観念を鑑賞者の心に連想させる、と語っている。

木や森などの個々の対象についての説明においても、性格という概念が鍵となっている。「多くの種類の木々は、独特の性格をもっている。それ故、それらの形において美しい様々な構成があり、いずれにおいても、それらが所有する表情の本性やそれらが喚起する情緒の本性に照応する構成だけが美しい。例えば、しだれ柳の性格は陰鬱であり、カバやポプラの性格は陽気であり、ウマグリの性格は荘厳さであり、樫の木の性格は威厳であり、水松《いちい》の木の性格は悲しみである。[46]」アリスンは、平坦な線は柔らかさや滑らかさを、平坦でない線のうち角のある線は荒々しさや粗野さを、曲線は柔軟さ、繊細さ、安易さなどを表す[47]という視点から、線によって輪郭を与えられた形の性質とその性格とが一致する木が美しく、逆の場合、例えば、よじれて活気があり幻想的である枝をもたない樫の木は荘厳でないゆえ、また、細く変化に富む形の水松の木は悲しみという性格に合っていないゆえ、不完全で、醜さの産物にみえるという。[48]また、美しい木立においても、様々な木が「形において照応して、一つの性格の産出において結びつく」必要があり、[49]さらに、色彩も木々の性格や景色の性格に合致すべきであるという。「例えば、生き生きした緑は、快活な風景では実に喜ばしいが、陰鬱な景色や荒涼たる景色には似つかわしくないであろう。暗い景色や不毛な景色と奇妙にも一致する褐色のヒースは、陽気な風景においては堪えがたいであろう。[50]」ある景色の単なる構図上の統一ではなく、個々の対象の形や色の連想させるイメージと風景全体の性格との調和が、美しい風景や崇高な風景を生み出すというのである。

性格という概念の起源について言えば、ウィトルーウィウスの三つの舞台装置（悲劇と喜劇とサテュロス劇）に端を発した区分が、ルネサンス期のロマッツォ等によって風景画にあてはめられ、その後フランス古典主義絵画理論や庭園論にもかなり自由に取り込まれ、ローザ風、ロラン風、プッサン風の風景といった区分の原型になったという説も公表されている。[51] また、イギリスにおいては、特にテオプラストスの『人さまざま』の翻訳（*Isaac Casaubon*, 1592; John Healey, 1608）が引きがねとなって、多数の所謂 character -writing が流行したという状況もあったし、また、ル・ブランの観相学的絵画論が一七三四年にジョン・ウィリアムズによって英訳されてレノルズをはじめとして大勢の人たちに読まれたこともあった。[52] しかし、アリスンの性格概念は、直接的には六〇〜七〇年代の庭園論に影響を受けたものであって、庭園論において性格概念が頻繁に取りあげられていたことは、以下の数例からも明らかである。例えば、ウィリアム・チェインバーズは、『東洋庭園術論』（一七七二年）の中で庭園内部の建築の三区分（rustic, grand, gay——明らかに、ここにはウィトルーウィウスの影響の跡が窺える）に応じた景色の性格として「野性的」「陰鬱な」「輝かしい」という三つの性格をあげながらも、[53] 随所に「静かな」「憂鬱な」「心地よい」「偉大な」「恐ろしい」といった性格をかなり自由に使用し、また、ウィリアム・シェンストンも「壮大な」「野蛮な」「活気ある」「陰鬱な」「恐ろしい」「美しい」を性格としてあげ、また、木の性格にも言及している。[54] アリスンも、ウェイトリを引用して、朝・昼・夕の景色や四季の景色に応じた風景の性格について語り、「偉大さ」「荒々しさ」「陽気さ」「静謐《せいひつ》さ」「陰鬱さ」等々を性格としてあげており、その種類に関してはさほど新しさはないが、風景の性格が「観念連合に基づく擬人化」から生じるものとして捉えられ、しかも、古典以来の詩的知識を背景として生じることもあるとされている点は、彼の性格概念の特質としてあげられるであろう。つまり、自然の様々な様相にまつわる詩的な連想がその風景の性格に大いに影響を与えるというのである。「普通の人にとってはありふれた事件、ありふれた景色にすぎないものが、そうした［詩的な］連想をもつ人にとっては、美に満ち溢れている。一年の季節も、一般の人にはそれがもたらす仕事や娯楽によって区別されるだけであるが、そうした人たちにとっては、その各々が特有の表情をもち、彼らに心地よい思想とか恐ろしい思想の働きを目覚めさせるのである。一日の時間帯も、普通の観察者にとっては労働や休息の呼び声としかみなされないが、彼らにとっては快活さや荘厳さのいずれかの性格があり、その性格が喚起する実に様々な情緒と関係している。通常の目には気づかれないままに見過ごされてしまうごく普通の自然の見慣れた状況さえ、例えばあばら屋や羊飼いや晩鐘も、彼らには表情をもっている。[55]」木の性格であれ、風景の性格であれ、性格とはそれを眺める人物の文学的素養と分かち難く結びついた言わば文化的イメージなのであり、その意味で、「自然は絵のごとく」がピクチャレスクの思想の最も典型的な主張だとすると、「自然は詩のごとく」がアリスンの主張の要点であるとも言える。例えば、ボークリューズ谷はペトラルカの住居があったゆえ、また、アルプスはハンニバルのアルプス越えを想起させるがゆえに、いっそう美しく思えるのであって、[56]その美は視覚的なものよりもむしろ［詩的］連想に基づいているというのである。しかし、それ故、つまり、連想においては国民的連想ばかりではなく個人的連想も生じる余地が多々あるがゆえに、アリスンの風景論はきわめて主観的色彩を帯びることになる。「外的自然のあらゆる多様性の中で、悲しみの情感を目覚めさせる傾向があるもの以外は何も美しくないと考える人がいる。彼らは、再び巡ってきた春を迎えるのにもその滅びを予言する精神しかもたず、行く秋を見守りながら、一年の美しさが過ぎ去ってしまったという回顧の念しかもたない。反対に、自然のあらゆる外観が美しいのは、陽気な情感を目覚めさせるからだ、という人たちもいる。……彼らは最も荒涼たる冬景色の中にさえ、自分の心をはずませる何かを発見することができる。……快活な人にとっては自然の快活さしか美しくなく、また、悲しみをもった人にとっては自然の憂鬱しか美しくない。[57]」春の景色は陽気さ、秋の景色は陰鬱さ、といった類型的な性格を表すのではなく、それを眺める人の主観的フィルターを通した（つまりその人物の国民性や特定の仕事や思考習慣によって規定された観念連合に色づけられた）様々な性格を顕す可能性がある。つまり、古来、春のにぎわいの中に滅びを見た歌人や残酷さを感じた詩人がいたことも証となっているように、自然はそれを眺める人物の感性を抜きにしては語れない、というのである。そうした主張は、一方において、従来の観念連合論という疑似科学的視点から実に合理的に語られながらも、他方において、やがて訪れるロマン派の風景論にみられる詩的精神を鮮明に映し出しているのである。

結び

イギリスのロマン派以前の風景論の傾向は、大別すれば、三つあるように思われる。自然現象そのものを、つまり自然の形や色彩や光などの景観を視覚的美として捉えようとするピクチャレスク美学、想像や連想が風景美に寄与することを主張した観念連合美学、荒々しい自然の与える驚異や恐怖感などの情緒的効果を重んじた崇高美学の三つであり、これらは相互に入り交じりあいながらも、それぞれ視覚・想像力・感情を重んじた風景論を展開した。しかし、崇高美学は、元来、風景の背後に神的なもの、無限なるものを見る傾向があったのに対して、前二者の風景論においては、風景美は、視覚であれ想像力であれ人間の認識能力を介して現出するものとして語られている。こうした表象としての風景美こそ、ほどなくワーズワースがその皮相性を嘆くことになったにせよ、十八世紀の多くの人々を自然探索に駆り立て、自然を神的な輝きの反映としてではなく人間的風景（つまり、視覚によって枠取られた風景、あるいは感情的色彩を帯びた風景）として眺めさせ、結果的には、現実の風景としての自然といった自然観を育みながら、自然と人間の絆を強める一因となったものなのである。

注

（1）Oliver Rackham, *The History of the Countryside*, J. M. Dent & Sons, 1986, pp. 129-30.
（2）イギリスの森林にまつわる文学やエピソードについて広範な知識を与えてくれるものとしては、川崎寿彦『森のイングランド——ロビンフッドからチャタレー夫人まで——』（平凡社、一九八七年）がある。特に森林の減少については、一一六—一二〇頁参照。
（3）John Evelyn, *Sylva, or A Discourse of Forest-Trees, and Propagation of Timber*, 1664, Scolar Press, 1972, pp. 1-2.
（4）ibid., p. 100.
（5）イギリスで、木材に代わってレンガが建築に一般的に使用され始めたのは、十七世紀のことである。ヒュー・ブラウン『英国建築物語』（小野悦子訳、晶文社、一九八〇年、二一七—一八頁）参照。
（6）Francis D. Klingender, *Art and the Industrial Revolution*, Noel Carrington, 1947, p. 2.

(7) 具体的な数値に関しては、B.R. Mitchell, *Abstract of British Historical Statistics*, Cambridge U. P., pp. 286-89 参照。

(8) *Forest-Scenery* II, pp. 305-6.

(9) ibid. I, p. 328.

(10) Stephen Daniels, The Political iconography of woodland in later Georgian England, in *The Iconography of Landscape*, D. Cosgrove and S. Daniels (eds.), Cambridge U. P., 1988, p. 43.

(11) *Forest-Scenery* I, p. 20.

(12) ibid., pp. 233-68.

(13) ibid., p. 10.

(14) *Scottish Tour* I, pp. 120, 122.

(15) *Three Essays*, p. 19.

(16) ibid., pp. 6, 27.

(17) E. Burke, *A Philosophical Enquiry into the Origin of our Ideas of the Sublime and Beautiful*, 1757, Notre Dame U. P., 1968, p. 114.

(18) J. Addison, *The Spectator*, no. 414, 1712.

(19) *Forest-Scenery* I, p.21.

(20) *Three Essays*, pp. 55-56.

(21) ibid., p. 49.

(22) *Wye Tour*, p. 14.

(23) *Western Tour*, p. 107.
(24) *Lake Districts Tour* I, p. 64.
(25) *Three Essays*, pp. 48-49.
(26) ibid., p. 36.
(27) *Wye Tour*, p. 77.
(28) *Three Essays*, p. 44. (傍点筆者)
(29) *Scottish Tour* I, p. 63. (傍点筆者)
(30) *Wye Tour*, p. 83.
(31) ibid., p. 8.
(32) 黒の裏箔を張った平凸鏡。長方形や円形のものもある。実物は、ロンドンの科学博物館に多数展示されている。風景の形状は変えず、ただ色調を変える色ガラスをはめた眼鏡も、クロード・グラスと呼ばれていた。
(33) *Forest-Scenery* II, p. 226.
(34) *Lake Districts Tour* II, p. 80.
(35) *Three Essays*, p. 57.
(36) ibid., p. 57.
(37) ibid., p. 51.
(38) ibid., p. 54.
(39) ギルピンならびにピクチャレスク全般の思想については、戦前から『造園研究』(針ヶ谷鐘吉「英吉利風景庭園」昭和八年)や『英語青年』(村岡勇「ウィリアム・ギルピン――その『絵画美』について」昭和十二年)

などの雑誌に紹介されているが、近年の精緻な研究として、安西信一「ピクチャレスクの美学理論——ギルピン・プライス・ナイトをめぐって——」（『美学』一五八号、一九八九年）参照。

(40) David Hume, *THN*., p. 364.

(41) Henry Home, *Elements of Criticism*, 1762, Georg Olms, pp. 244-46.

(42) Archibald Alison, *Essays on the Nature and Principles of Taste*, 1790, Georg Olms,1968, p. 410. この著作が大きな影響を与えたのは、一八一一年の大幅に増補された再版であるが、本稿では同時代のギルピンと対比させる意味でも、初版に拠った。

(43) ibid., pp. 2-3.

(44) ibid., p. 29.

(45) ibid., p. 43.

(46) ibid., pp. 279-80.

(47) ibid., p. 238.

(48) ibid., p. 280.

(49) ibid., p. 281.

(50) ibid., p. 288.

(51) Agnisezka Morawinska, Eighteenth-Century "Paysages Moralisés", *Journal of the History of Ideas*, vol. XXXVIII, 1977. cf. E. H. Gombrich, The Renaissance Theory of Art and the Rise of Landscape, in *Norm and Form*, Phaidon, 1966. なお、同様の主張は、*Encyclopedia of World Art*, McGraw-Hill, 1960 の characterization の項にある。

(52) John Williams, *A Method to Learn to Design the Passions, Proposed in a Conference on their General and Particular Expression. Written in French, and illustrated with a great many Figures excellently Designed, by Mr. Le Brun,* 1734, University of California, 1980.

(53) W. Chambers, *A Dissertation on Oriental Gardening*, 1772, Gregg International, 1972, p. 16.

(54) W. Shenstone, Unconnected Thoughts on Gardening, 1764, in *The Genius of the Place*, J. D. Hunt and P. Willis (eds.), MIT, 1988, pp. 290, 292.

(55) Alison, op. cit., p. 47.

(56) ibid., pp.16-18.

(57) ibid., pp. 63-64.

第三部　ポイエーシス

第七章　エドワード・ヤングの天才論

——模倣と独創性をめぐって——

序

一七五六年の暮も押し迫った十二月二十一日、『夜想』の詩人エドワード・ヤングは、『独創的創作に関する臆説』[1]をサミュエル・リチャードソンに送り、彼の助言を仰いでいる[2]。それから二年五ヵ月後に、この著作は匿名のまま出版された。ヤングが七十五歳の春のことである。この著作の副題が「《サー・チャールズ・グランディソン》の作者への書簡」とされているのは、リチャードソンが五年前に同名の小説を公表していたからである。

ヤングの文学的信念のマニフェストとも言うべきこの著作は、天才概念を扱った論考として、早くから文人や思想家を引きつけてきた。当時の論評には賛否両論が入り乱れていることからみても、この著作が必ずしも好評をもって迎えられたのではないことが窺われるが、初版の一〇〇〇部は即座に売り切れになったというのであるから[3]、この著作がほとんど無視されたという評は当たっているとは言えないであろう。しかし、この著作はイギリスよりもむしろドイツにおいて圧倒的な影響を与えたことは事実である。例えば、この著作がイギリスで出版された翌年の一七六〇年には、ドイツで二つの翻訳が出版され、それはシュトゥル

ム・ウント・ドラング期のドイツ美学の中で独創性が頻繁に論じられる一つの契機となるのである。(4)

このように、思想史的に言えば、ヤングは独創性を高らかに唱道した人物として後世に大きな影響を与えたものの、彼の見解の大半は、当時流布していた思想に基づいたものである。しかしながら、彼の模倣や独創性の捉え方の中には、ロマン主義的色彩を帯びた魅力的なイメージや比喩が多くある。そこで本稿では、彼の天才論に表れた模倣と独創性の特質を明らかにし、次いでそこに浮び上がってくる創作の新たな契機を指摘することにする。

一　模倣の精神

十八世紀のイギリスにおいて主流を占めていた模倣論を模倣の対象に応じて大別すれば、自然の模倣と古典の模倣とに分かれる。確かに、模倣の本性はカメレオンの色と同じように捉え難いというウィットカウアーの言葉(5)を引くまでもなく、模倣の意味内容は作家や思想家によってまちまちである。そこで、ヤングの模倣の概念を明瞭にするために、まず一般的な立場を指摘しておくことにする。(6)

模倣の対象が自然に求められる時、第一に挙げられるものは、自然の忠実な模倣であろう。これは素朴な風景描写に見られるものである。しかし、このような模倣概念が主張されることは、十八世紀前半のイギリスにおいては比較的稀であった。というのも、一方において写実的な風景画が興隆し始めていたものの、少なくとも藝術理論の中で自然はまだかなり理念的に捉えられていたからであった。従って、個別的な自然の事物や現象ではなく、それらの背後に潜む原理的なものを模倣することが、模倣論者の主要な関心事になっていた。つまり、個々の自然は我々に欠点ある位相しか見せてくれないのであるから、藝術家は自然現象を単に模倣するだけでは完全な自然に近付けない、従って、藝術家は自然の最も完全な部分を選択し、それらを作品の中で結び付けることによって、より完全な自然に近付くことができる、と主張されたのである。ホラティウスの『詩法』を翻訳したリチャード・ハードは『詩的模倣論』の中で、伝統的見解に触れて、次のように語っている。「天才の役目は、事物の最も麗しい形を選択し、それを適切な場所や状況のもとで、最も豊かな色調を帯びた表現で、想像力に提示するにすぎない。この最初の、つまり本源的な模写は、哲学の観念では模倣であるが、批評の言葉では創意と呼ばれる。(7)」ここには、古代より十八世紀まで繰り返し語られてきたゼウクシスの逸話――ヘレネを描く際にクロトンの乙女をモデルとして選び、彼女たちの最も美しい容姿を絵の中で結び付けたという話――に代表される模倣論が示されている。

他方、模倣の対象が自然ではなく、古代の藝術作品に求められる場合があるが、そこにはかなり教育的な意味合いが含まれていることが多い。つまり、古代の藝術作品は技法を習得しようとする人々にとって、教育的効果をもつというのである。例えば、レノルズは、「先人について学ぶ大きな利点は、［我々の］精神を開き、労苦を軽減し、偉大な精神が自然の中の壮大で美しいものを選択した結果を我々に与えることです(8)」と語っている。換言すれば、古代の藝術家は自然からできる限り最良のものを選択することによって作品を構成したのであるから、自然の選択と結合の範例となる古典を模倣することは有意義である、というのである。しかし、わずかな古典を創作における絶対的で唯一の規範もしくは規則とするならば、そこでは狭量な模倣論が主張されるだけであることは言うまでもない(9)。

ヤングにおいても、模倣は自然の模倣と作家の模倣とに分けられる。しかし、彼は前者をオリジナル(10)と呼び、模倣という語を後者の意味に限定する。「模倣には二種類あります。一方は自然の模倣であり、他方は作家の模倣です。我々は前者をオリジナルと呼び、後者に限って模倣という言葉を使用します。[11]」ここで自然の模倣がオリジナルと呼ばれている点は奇異な感じを与えるかもしれないが、後に触れるように、ヤングにとって自然は最も個性に充ちた着想を与えるものなので、自然に基づいて生み出された作品は、賞賛すべき独創的なものになる、というのである。

無論、このような考え方は、必ずしもヤングに特有なものであったわけではない。若きレノルズにラファエロに匹敵する画家になりたいという熱望を抱かせた『絵画論』（一七一五年）の著者ジョナサン・リチャードスンは、ヤングの『臆説』の出版に先立つこと四〇年、つまり一七一九年に、『絵画批評術論』の「オリジナルと模写」と題された章の中で、次のように述べている。「オリジナルを作る時、我々の着想は自然から引き出される。しかし、藝術作品は決して自然にたちうちできない。我々は、模写する時に、欠点ある藝術作品から着想を得る。それらの着想は我々が到達しようと努力する最高のものであるが、我々の手はそれらの低次の着想も完全には制作できないのである。オリジナルは自然の声のこだまであり、模写はそのこだまのこだまである。[12]」ここでは、自然は藝術作品よりも秀れた着想を我々に与える点、自然の着想に従った創作がオリジナルである点、我々は手によってその着想を完全には作品化することはできない点等々を指摘することができるであろうが、例えば、「こだま」を「模倣」と言い換えれば、ここで語られていることはそのままヤングの思想に繋がることは容易に推察できるであろうが、基本的枠組みにおいては、オリジナルは模写よりも上位に置かれているものの、オリジナルが必ずしも価値概念として受け取られていない点に注意しておかねばならない。例えば、彼は作品の価値に関して、オリジナルと模写とを比較して、次のように述べている。「非常に立派な作品の模写は平凡なオリジナルよりも好ましい。というのは、そのような模写における創意は完全といってもよいほどであり、かなり多くの表現と配置、さらに彩色と素描と他の性質について何倍ものよい示唆を与えるからである。平凡なオリジナルは卓越したもの、人を感動させるものを何ももっていないが、私が語っている模写はそれをもっており、それは模写としての良さに対応しているのである。[13]」ここで彼は、煎じ詰めれば、オリジナルであろうが模写であろうが、作品の価値は卓越性や人を感動させる点にある、と言っているのである。さらに、彼は、他人の絵や素描に基づいて絵を描く場合にも、その絵がオリジナルになることについて、次のように語っている。「もしも別の絵に従って作られた絵が、後になってその絵に従わずに、手を加えられる場合、創意や写生に委ねられるなら、それはオリジナルとなる。……しかし、もしも絵や素描が模写され、しかも手法も模倣されるなら、ある程度の自由を与えられ、すべての筆致をなぞったものではないとしても、それは模写たることを止めない。それは、まさに字義通りでないとしても、意味が保たれている翻訳のようなものである。[14]」つまり他人の絵の素材を用いたとしてもそれに自分なりの手法を用いれば、絵は（価値概念において）オリジナルになりうるというのである。

リチャードスンの見解に対して、ヤングの見解は次のようなものである。「模倣する人が卓越していると仮定します。（そして、そのような人も存在しています。）しかし、それでも彼は他人の基盤の上に高貴に築いただけなのです。彼の借金は、少なくとも彼の栄誉に等しいのです。それ故、その栄誉は、借金を差し引いてみるとそれほど大きなものではありません。反対にオリジナルは（そのオリジナリティを別にしても）良くも悪くもないものであっても、なんらかの誇れるところをもっているのです。[15]」ここで彼は、作品自体の価値を一応括弧に入れて、作品が他人の作品に基づく模倣でない限り、ある程度の価値を有している、というのである。無論、ヤングはオリジナルの価値を単なる非模倣性に求めたわけではなかった。すなわち、「先例のない卓越性[16]」、「今までにはなかった天性[17]」、あるいは「オリジナルは卓越したもの、新しいものとして存在することによって、驚きに賞賛を付け加えるなら……[18]」という言葉からも窺われるように、ヤングは、真のオリジナルの価値〈オリジナリティ〉は作品が〈従来存在していなかった新しさと美点〉をもつところにある、としている点は留意しておかなくてはならない。

この点をより明瞭にするために、何故ヤングは古代の傑作の模倣を否定するのかという点を明らかにしておくことが必要であろう。また、そのことに加えて、西欧の思想において古代の傑作の模倣という思想はかなり重要かつ伝統的な理論及び実践だったのであるから、ヤングがそれに批判を加える理由をここで明らかにしておくことが当然要請される。

模倣の精神に対するヤングの批判としては、次の三点が挙げられる。第一に、「技術において人は常に先人を超えようとするのに対して、自由学藝において人は先人に従おうとします。そして、川の流れがその源よりも高く上らないように、模作はオリジナルを越えることはないのですから、自由学藝は衰退し亡んでゆきます。[19]」このようなヤングの模倣批判の中には、科学的な観察と実験によって培われた進歩の思想の影響をみてとることができる。例えば、ヤングは「物理、数学、道徳、神学上の知識は増加します。そして、あらゆる科学技術はかなりの進歩を遂げています[20]」と述べているが、この言葉にも窺われるように、ヤングの時代には科学上の発見につぐ発見によって人々の想像力は刺戟され、彼らは限りない進歩を予想しつつあった。他方、文学においては、進歩思想が所謂新旧論争の恰好のテーマとなった。すなわち、フランスの新旧論争はイギリスにも紹介され、テンプルの『古代と近代の学問について』やウットンの『古代近代学問論』やスウィフトの『書物論争』のような書物が書かれ、例えば、科学と同様に文学においても進歩はあるのか、もしあるのなら、それは連続的な進歩なのか、それとも循環的な進歩なのか、という問題が盛んに論議されていたのである。そのような時代にあって、ヤングは文学が過去の作品に拘泥する状況に対して疑問を投げかけたのであった。

模倣に対するヤングの第二の批判は、作品の個性の消失と関連する。「自然はあらゆるオリジナルを世の中にもたらします。すなわち、いかなる顔も精神も類似しておらず、万物はその上に自然が与えた明白な個性の標徴を担っているのです。……模倣というおせっかいな猿は、（言ってみれば）無分別な時代になるとすぐペンを取り、自然が与えた個性の標徴を消し去り、自然の好意的な意図を無視し、あらゆる精神的個性を破壊するのです。［その結果］文壇はもはや個物から成り立つのではなく、一つの寄せ集め・集合となり、幾百の書物も実際には一つにすぎなくなってしまいます。[21]」ここでは、主として三つの論点に注目しておかなくてはならない。第一点は、自然と藝術とを比較した場合、自然が明らかに優越性をもっていること、第二点は、その根拠として、自然が個性の標徴を担い、その個性が価値あるものとされていること[22]、第三点は、猿の比喩によって、文壇の個性のない状況が非難されていることである。「藝術は自然の猿」（ars simia naturae）という表現は古来のトポスであり、初期ルネサンスには最も忠実な模倣を行うものに対する賛美の表現として用いられたこともある。[23] しかし、ヤングの時代になると、例えばシャルダンの《猿絵師（le Singe Peintre）》[24]に顕著に示されているように、猿は非難の例として挙げられるようになるのである。

模倣に対するヤングの第三の批判は、模倣の精神が人間の思考力を衰微させるという点である。「極めて不条理なことですが、模倣の精神は我々を貧しくし、そして高慢にします。つまり、模倣の精神をもつことによって我々は考えることをしなくなり、しかも多く書くようになるのです。[25]」ヤングにとって、作家とは「考えて創作する」人であるのに対して、その他の人は「読んで書く」人にすぎない。[26] 考えずに書くから多産となり、多産となるから己を誇るようになる。しかし、その結果、作品の個性も作家の個性も消失してゆくというのである。事実、当時の文人は好んで古典を翻訳したり、模作を作ったりしていたのであり、そのことはポープを挙げるまでもなく、当時の作家の著作目録の中に翻訳ないしは翻案がおびただしくあることからも明らかである。ヤングは、そのような個性のない模作が文壇を占めている状況に対して、批判の矛先を向けたのである。

しかし、模倣の精神を批判したにもかかわらず、ヤングは古典の模倣の意義を否定しさってはいない。むしろ、彼は「模倣は大抵の作家の運命（しかも往々にして名誉ある運命）です[27]」とまで言いきっている。というのも、彼の容認する正しい模倣とは、古典の規則に従ったり、古典の模作を作ったりすることでは断じてなかったからである。「神聖なイリアスを模倣する人は、ホメロスを模倣していることにはなりません。かくも偉大な作品を完成させる能力に到達するために、ホメロスと同じ方法を取る者が、ホメロスを模倣することになるのです。彼の歩みを辿って、かの唯一無二の涸れることのない泉へと歩んで行きなさい。彼が水を飲んだ真のヘリコン山、すなわち自然の胸に抱かれて水を飲みなさい。そして、模倣するのです。しかし、作品を模倣するのではなく、人を模倣するのです[28]。」ここで比喩的に語られている正しい模倣とは、古典の素材の単なる模写、つまり「あさましい盗み」によって古典を剽窃することではなく、「彼らの書物に広く親しむことから受ける一種の高貴な感化によって[29]」「古代人の精神をもち彼らの趣味に従って[30]」創作することであった。言い換えるなら、ヤングが否定する古典の摸倣とは、十八世紀のイギリスにおいてかなり通俗的であった古典の模作《コピー》という思想であり、それに対して彼は真の模倣として古代人の「偉大な作品を完成させる能力」、つまり偉大な藝術家の中に潜んでいた創造的能力を模倣することを主張するのである。従って、ここでは模倣はオリジナリティとなんら対立する概念ではなく、むしろ真の模倣はオリジナルを生成させた精神に近付くことなのであり、人は通俗的な模倣から離れれば離れるほど、真の模倣に近付くというのである。この点は、「我々は著名な古代人を模写することが少なければ少ないほど、我々は彼らによりいっそう類似するでしょう[31]」、あるいは、「類似性において偉大な先達から離れれば離れるほど、あなたは卓越性において彼らに近付くのです。それによって、あなたはオリジナルへと上昇し、卑屈な門下生ではなく高貴な親類となるのです[32]」という言葉の中に逆説的に示されている。

以上から明らかになったように、ヤングにおいて模倣は次の二つに分類される。

① 古典（素材）の模作という意味での模倣。

② 古典の作家の創造的精神への接近としての模倣。

前者が単なる素材の剽窃として否定されるのに対して、後者は古典から精神的滋養を汲み取り、真の創造行為に繋がるものとして、多くの作家にとって認められるべきものなのである。そして、このようなヤングの模倣の解釈がある程度後代に影響を与えたことは、次のレノルズの一文においても窺うことができる。「ヤングが述べているように、イリアスを模倣する人は、ホメロスを模倣しているのではありません。もしも偉大な藝術作品が導かれている一般的な原理を我がものとすることなしに立ち止まってしまうなら、記憶の中に偉大な藝術作品の特殊な部分を積み上げても、誰も偉大な藝術家になりはしません。……研究の大きな役割は、あらゆる時代や機会に適合した、相応しい〈精神〉を形成することなのです。その時、そのような精神にすべての自然は開かれるのであり、その精神は尽きせぬ富の鍵を所有していると言えるのです[33]。」アカデミズムの大御所レノルズが、言わば新時代の思想の提唱者として考えられているヤングから影響を受けたことをみても、ヤングの影響力の大きさを窺うことができるが、両者の模倣概念は微妙な点で異なっていることに注意しておく必要がある。すなわち、ヤングが比喩的に創造的精神の模倣を説くのに対して、レノルズはその点を受け入れながらも、創造的精神を獲得するための言わば準備段階としての模倣の意義を強調する。つまり、王立美術院の指導者としてのレノルズにとって摸倣の意義は、あくまで「他の巨匠に追随し、その作品の研究から受け取る利点[34]」にあり、そこには教育的配慮が多分に働いていた。

このように、ヤングは一方において、「古典の作家の人権は聖なるものであり、彼らの名声は冒すことのできない[35]」ものと考え、「古典の美を導きの星として、古典の欠点を避けるべき岩として[36]」創作しなくてはならない、と主張しながら、他方、彼は古典に対して過度の畏敬の念を抱くことを堅く禁じた。というのは、「一般に、驚嘆には無知と恐れという二つの極めて悪質な要素がある程度含まれています[37]」という言葉からも窺えるように、もしも古典を盲目的に賞賛するならば、我々はその偉大さに圧倒され、自己の能力を用いることを忘れ、独創的な創作を展開させることができなくなってしまうからである。それ故、ヤングは、彼と同時代の人々が「古代の人々以上に完全性へと航行させるより確実な舵[38]」をもっていることを認めて、創作にあたっての心構えについて、次のように述べている。「読書する時には、古典の作家の魅力に想像力を燃え立たせなさい。しかし、書物を著す時には、判断力を用いて我々の思考から古典の作家を追い出すようにしなくてはなりません[39]。」すなわち、鑑賞体験においては古典という偉大な作品からできる限り精神的滋養を吸収し、作品を形成している精神を感得しながら、他方、創作にあたっては、我々の内なる神的能力、すなわち天才という「精神の光線[40]」に基づいて創作しなくてはならず、そうすることによって我々は古典の軛《くびき》から解放されて、オリジナルを生み出すに至るというのである。

従って、ヤングは古代の作家に対して現代人が「師弟として」ではなく、むしろ「名声を激しく競う競争相手として[41]」対峙することを勧める。「競争によって鼓舞されて、我々は古代の創作の指導者のもとに新兵のように永久に規律を学ぶ代わりに、そのような王冠を戴いたヴェテランが栄誉ある優越した地位を失う危険に置かれるようにするのです[42]。」この点を歴史的コンテクストにおいて考えてみるならば、その背景には、既に述べたように、十七世紀以来の新旧論争が存在していた。すなわち、ヤングにとって模倣対オリジナルはまさに古代対近代の図式に対応する代表的概念として想定されていたのであり、従って、模倣とは古代に隷属する姿勢であるのに対して、オリジナルとは古代よりも優ろうと競争する姿勢なのである。そして、ヤングにとって、近代の作品が古典に優る可能性があるという思想の基底には、人間の精神は古代から現代に至るあらゆる時代や地域にわたって同等であるという考えがあった。では、ヤングは天才についてどのように捉えていたのであろうか。

二　天才の諸相

詩における入神や霊感は古来頻繁に論じられてきたテーマである。しかし、それに関連して天才（以下では genius の訳語として用いる）という語が単なる才能とは異なる意味で頻繁に用いられるのは、十八世紀になってからのことである。[43] しかし、天才に対する関心は既に十七世紀後半に高まりつつあった。ドライデンは『詩と絵画の比較論』という所謂姉妹藝術論の中で次のように書いている。「創意（invention）は絵画と詩の第一の部分であり、両者にとって絶対に必要なものである。しかし、創意をいかにして手に入れるのかという点については、いかなる規則も与えられなかったし、また与えられない。幸福な天才は自然の賜物である。それは星の影響であると天文学者は言い、肉体の器官によると自然科学者は言い、キリスト教や異教の天が与えた特別の賜物であると占い師は言う。天才を向上させる仕方について教えてくれる本は多いものの、それをどうしたら獲得できるのかということを教えてくれるものはない。……創意がなければ、画家は模写する人にすぎないし、詩人は他人の剽窃者にすぎない。[44]」この一節と半世紀以上も後の著作であるジェラードの『天才論』の一節を対照してみることにしよう。「あらゆる藝術において、創意は常に天才の唯一の基準とみなされてきた。[45]」「創意は天才のまごうかたなき基準であるから、天才の本性を探るのには、人に創意の能力を与える精神の力がいかなるものか探究することほどよいことはない。[46]」「天才は元来創意の能力である。それによって人は科学において新しい発見をし、あるいは独創的な藝術作品を生み出すことができるのである。[47]」ドライデンとジェラードの著作を通じて窺われるのは、天才における創意を重視する点である。無論、創意（invention）という語自体修辞学的伝統に則った用語であり、両者の思想は伝統的概念に基づく。むしろ、ジェラードの天才論の十八世紀的な新しい特質を求めるならば、天才を人間の様々な能力（感覚や記憶や想像力や判断力）と関連づけて、心理学的な観念連合の法則の視点から合理的に説明しようとした点に認められるであろう。それでもなお、この心理学的考察においても、創意は創造的想像力の中心的概念として、頻繁に使用されているのである。このように、創造的想像力の心理学的分析がこの世紀の天才論を貫く一つの大きな傾向であったが、他方、天才の非合理的特質を強調する天才論が台頭し始めていた。すなわち、シャフツベリの多大な影響の下に、十八世紀を下るにつれて、天才という語は霊感との関わりをさらに深くもつようになり、天才は単なる才能とは区別された超人的能力を意味するようになる。こうして、多岐にわたる意味内包を含んだ天才概念は、独創性や創造性や想像力と強く結びつくようになり、十八世紀イギリス美学の主要な概念の一つとなるのである。

　こうした流れの中でヤングの天才論は公表されたのであるが、ここでは、ヤングにおける天才概念は単なる才能とは異なる、人間の内に潜む能力を意味しており、未だ天才という人物、を意味するには到っていないことを指摘しておく。そのことは、「我々が天才という語によって意味するのは、……偉大なことを行う能力です[48]」、「天才は……精神の光線を意味しています[49]」、「ミルトンの天才[50]」などの用例が示している。この点を踏まえた上で、ヤングの天才論の基本的な特質を指摘することにする。

ヤングの天才論の特質の第一点は、天才の非合理的特質を強調したところにある。我々はヤングの天才概念の特徴を理解するために、ヤングと同時代の新古典主義者による詩人の評価の基準を取り上げてみたい。『文学雑誌』の一七五八年一月号には、「詩的尺度」と題された評論が載せられているが、詩人を評価する際の詩的尺度の実例として、三〇人余りの詩人が、天才／天分（genius）、判断力（judgment）、学識（learning）、韻律法（versification）の観点から点数を与えられている。端的に言うなら、天才／天分は「いかなる研究や技も伝達できない美点」であり、判断力とは「作品を構成したり配置したりする際に、作品を信じられるようにしたり、真理の外観を与えるように和解させる蓋然性を保持すること」、つまり作品を構成する際に働く力であり、また、学識とは「詩人が試みる主題において彼を最も卓越させるような種類の」かなり広義な知識であり、韻律とは「作品を……耳にとって快いものとする韻律の調和であるばかりでなく表現と情感との間の正しい関連」でもある。[51] その表によれば、ポープは18・18・15・19点が与えられ、総合で第一位、ミルトンとドライデンは18・16・17・18点が与えられ、それぞれ第二位、アディスンは16・18・17・17点が与えられ、第四位、シェイクスピアは19・12・14・18点が与えられ、第五位とされている。つまり、十八世紀中葉の詩のかなり保守的な価値評価の基準に従えば、判断力や学識が詩人の評価を決定する際の重要な契機とされていたのであり、それ故ポープやドライデンがシェイクスピアよりも高い評価を与えられたのである。

他方、ヤングにおいても学識の価値は否定されていない。この点は、ヤングが天才をダイヤに、学識を金に喩えて、「我々はダイヤが金よりもさらに大きな価値をもっていると言うとしても、金の価値を軽んじているわけではありません[52]」と述べていることからも明らかである。但し、彼にとって天才と学識とは根源的に位相の異なるものであった。すなわち、ヤングによれば、学識とは我々が感謝するものであって、それによって我々は快や情報を得る。しかし、学識は人間に源を発するのであるから、我々をせいぜい無学の徒の上に立たせるだけである。それに対して、天才とは我々が尊敬すべきものであって、それによって我々は法悦と霊感を与えられる。また、天才は天に源を発するのであるから、我々を学識ある人々の上に立たせることになる。さらに、学識は外から「借りてきた知識」であって、必ずしも必要ではない道具として捉えられるのに対して、天才は巨匠のように自立していて、他からいかなる助力も必要としない「内在的知識」として捉えられる(53)。

この学識の有無という点から、ヤングは二種類の天才——幼い天才（スウィフト）と大人の天才（シェイクスピア）——を区分する(54)。スウィフトに見られる天才は、幼児が「育まれ教育される」ことによって成長するように、学識によって援けられているのに対して、シェイクスピアのように真に偉大な天才をもつ者は生得的な知識をもっており、学識を必要としていない。これを先に挙げた詩的尺度による評価と比較するなら、学識等には関係なく、シェイクスピアが最大の天才として尊ばれている点にヤングの作品評価における特質を窺うことができるであろう。ヤングは比喩的に次のように述べている。「規則は、杖のように障害者にとって必要な助けですが、強者にとっては妨害物です(55)。」すなわち、学識は神的なものの援けを欠いているので、規則を自分の歩みを援ける杖として愛し、著名な範例を自慢するのに対して、天才には魔術師のように「神的なあるもの(56)」「散文的理知を超えた何かあるもの(57)」が宿っており、それをもって天才は規則を飛び越えて、「あらかじめ規定されていない美や先例のない卓越性(58)」に到達できるというのである。また、ヤングは「学識を無視することに、天才はその最も偉大な栄誉を負っています(59)」とも述べている。

このように、ヤングが魔術師の比喩をもって天才の非合理的特質を強調したのは、藝術創作と神の創造との類比を強く意識していたからでもあった(60)。確かに、十七、十八世紀の藝術論においては、創造（creation）

という語よりもむしろ修辞学的な伝統を担った創意（invention）という語が用いられることが多く、またヤングにおいても藝術に関連して創意という語が数度使用されているとしても、人間の精神の奥深さが神の創造の奥深さと類比的に語られていることは注目される。「これまで誰が人間の精神を測ったことがあったでしょうか。その領域は創造の領域とおなじように知られざるものです。[61]」また、ヤングは次のようにも語っている。「天才は空想の国では気儘にさ迷うかもしれません。それは創造力をもち、恣意的にそれ自体の王国を支配するかもしれません。……天才の眼前には自然の広大な領野が開け、そこで天才は限定されずに広がり、できる限り多くのものを発見し、目に見える自然が広がる限り、抑制されずに、その無限の対象と戯れ、その対象を思いのままに描くのです。[62]」つまり、ヤングは人間の藝術活動の人知の及ぶことのない位相を神の創造に喩え、さらに天才の創作は神の創造とおなじように、学識や規則に縛られることのない自由なものである、と言おうとしたのである。ヤングはこのような側面を逆説的に、「天才は最も疑う余地のないものとして非難される時に、最も賞賛に値することがよくあります[63]」と述べている。この言葉は、ヤング自身が述べているように、天才の作品の中に宿る「散文的理知を越えた何かあるもの[64]」は規則を盲信する凡庸な人間の視界に入らない、ということを述べたものに他ならない。

但し、学識に頼らず、理性や判断力の抑制から解放され、それによっては決して測ることのできない天才の特質を唱道した点は、ヤング個人にとっての特色ではなく、十八世紀という時代が向かいつつあった全体的傾向であった。それは、このような傾向に対して、保守的な層から激しい非難の声が挙がったことからも窺える。サミュエル・ジョンソンは『ランブラー』の一五四号の中で、研究や勤勉や知識などを軽視する傾向を次のように批判した。「現代の精神の病は、研究に耐えられないこと、古代の知恵をもった偉大な巨匠に対する侮り、援けをもたない天才と天性の賢明さとに全面的に依存する気質である。[65]」無論、ジョンソンは「自分自身の天才の力」を過剰評価する人が、虚栄心に充たされて、「即座に怠惰の声に耳を貸し」、「苦心と探究が与えることができるすべてを自分は既に持っている、と結論づけてしまう[66]」ことを批判するのであって、模倣を賞揚しているわけでも、天才自体を批判しているわけでもない。事実、「いかなる人も模倣によって偉大になりはしなかった[67]」という言葉からも窺えるように、彼は天性の能力をもった人こそが人間の知識の状態を書物から学ぶ必要性を説き、「自然に根差すことがなく、藝術によって鍛えられることのない名声は、広がることもなければ長く持続することもありえない[68]」と述べている。また、霊感だけを主張したと考えられ易いシャフツベリも、「天才だけで詩人が作られるのでもないし、資質だけで作家が作られるのでもない[69]」と語っている。この点で、ジョンソンにせよ、そしてシャフツベリにおいてさえ、「私は天賦の才を抜きにした努力がなんの足しになるのかを理解できないし、同様に練習を抜きにした技術がなんの役に立つのかもわからない。それ故個々人は互いに他人の援助を仰いで仲よく協同するのである[70]」というホラティウスの言葉の伝統を完全に断ち切ってはいなかった、と言える。それに対して、ヤングは、天才の非合理的特性を強調し、創作における後天的資質を天才から離脱させようとしたのであり、『臆説』はそのような傾向を最も先鋭的に表明したものに他ならなかった。

　ヤングの天才論の特質の第二点は、天才の創造した独創的作品が植物に類比される点である。「オリジナルは植物的自然に属していると言えます。それは天才の生命力ある根から自ずと（spontaneously）生じるのです。それは成長するものであって、作られるものではありません。」それに対して、模倣は「技巧や技術や苦心によって、それとは別の既在の素材から作り上げられる一種の手工業」なのである[71]。しかし、イギリスにあっては、天才の作品の特質を植物的自然によって喩えることは、ヤングに始まることではない。アディスンは既に一七一一年の『スペクテイター』一六〇号の中で、「生まれつきの天才は幸福な気候を恵まれた豊かな土壌のようなものであり、それは確かな秩序も規則ももたずに多くの美しい風景の中で成長する高貴な植物の野性味を生み出す」と述べ、生得的な天才が生み出すものを高貴な野生の植物のイメージで喩え、それに対して、人工の天才が生み出すものを「庭師の技」によって形成される「散歩道と花壇」のイメージで捉えていた。[72] この二つの対立概念である自然的な生成力と人工的な形成力の対比は、所謂ポエジーとクンストという言葉で言い換えられるであろうし、また、詩人は生まれつきのものであるのか、それとも作られるものであるのか、という伝統的な思想の残像とも考えられよう。しかし、ここで注目しておかねばならない点は、引用文中の「自ずと」という語に端的に表れているように、オリジナルが植物のもつような内的成長力によって支えられ、自然に創造される点である。（この語は、後の『抒情民謡集』序の「詩は自ずからなる力強い感情の吐露である〈the spontaneous overflow of powerful feelings〉」に連なっていくのであろう。）

さらに、植物的イメージは他所でも見いだされる。ヤングは、一方で植物の内的生命力に注目しながら、他方、植物の成長が気候によって左右されるように、天才の能力の開花は時代の外的環境によっている点を挙げている。「植物の果実を呼び覚ますことは、雨や大気や太陽によっています。同様に、天才の果実を生じさせることは、外的なものによっています。[73]」ある意味で、ここにおける彼の見解は環境説《ミリュー》に基づいている。つまり、本来的に人間の内に潜んでいる天才は、偶然的な知的風土に影響されて実を結ぶ、というのである。また、ヤングはオリジナルを天才の自然な力によって咲いた最も麗しい花あるいは果実のイメージとして捉えている。「天才の精神は豊かで快い野原であり、エリュシオンのように快く、テンピの渓谷のように豊かです。その精神は永遠の春を楽しむのです。そして、オリジナルはその春の中の最も麗しい花なのです。[74]」結局のところ、これらの言葉によって語られているイメージ、すなわち植物が内部の生命力に基づき成長し、風土に影響された結果として、最も麗しい花を咲かせる、というイメージ連関は、藝術創造の位相を捉えたものとして、後年のドイツの著作家やコウルリッジの有機的作品観に繋がってゆくのである。[75]とはいえ、特にオリジナルが植物的な成長力をもつというのは、あくまで比喩的表現にすぎず、事態を必ずしも十全に説明するものではない。その点で、ヤングは天才の創作を説明不能なオカルト的現象にしてしまっている、というフェイビアンの指摘もあながち不当なものとして退けることはできないであろう。[76]天才の能力の開花が自然なものであるなら、作家は作品が自然に成長していくのを、言い換えるなら、自然の恩寵を受動的に待つだけとなってしまう、と言わざるをえないのである。では、人間が創作に関与する能動的な、つまり人為的な契機は存在していないのであろうか。

この点を明らかにするために、ヤングが人間の能力をどのような形で存在していると考えたのかをみることにしよう。ヤングは、天才をほんのわずかな人たちだけに与えられる賜物であるとは考えてはいなかった。ヤングによれば、すべての人間には生まれながらにして、雲間に隠れた太陽のような、測り知れない能力が宿っている。「牡蠣が自分の真珠について、あるいは岩が自分のダイヤモンドについて知らないように、人間は自分自身の能力についてはほとんどなにも知りません。[77]」確かに、人間は自分自身の知らない「鉱脈[78]」、「眠っている思いもよらない能力[79]」をもっている。にもかかわらず、人間の生み出すオリジナルが嘆かわしいほど乏しいのは、一つには環境によるのであるが、また一つには、人間が自分の隠れた能力を認識していないからなのである。それ故、ヤングは、自分自身を知ること、自分自身を尊敬することを創作の黄金律として尊重し、次のように述べている。「汝の胸の奥底に飛び込みなさい。汝の精神の深さ、広さ、性癖、そしてその豊かな砦を学びなさい。汝の内なる見知らぬ人と親交を結びなさい。知的な光と熱が、かつては無視されて消え去っていようとも、あるいは単調で漠然とした集合となった平凡な思想の中に散在していようとも、その光と熱のすべての輝きを燃えたたせ、慈しみなさい。そして（汝が天才をもっているならば)、その輝きを一つにまとめて、混沌から昇る太陽のように、汝の天才を立ち昇らせるのです。そして、言わばインド人のようにそれを崇拝しなさい。[80]」自分の隠された能力を信じて、それを崇拝せよとは、かなり極端な主張である。[81] そして、ここに、先に挙げた疑問——人間が創造に能動的に関与する契機はあるのか否か——に対する一つの解答が示されているように思われる。すなわち、ヤングは人間の創作を神の創造に類比し、植物の比喩によって言わば自然に創作活動が行われることを示唆しながら、他方において、自分の能力を信じて、言わば神にならんと欲する姿勢が人間の創作にとって必要不可欠なものであると考えたのである。「野心は人生において悪徳でない場合があります。それは常に創作においては有徳なのです。[82]」「［創作においては］自然が階段をかけるのであり、欠如しているものはまさにそれを昇ろうとする我々の野心なのです。[83]」ヤングは『夜想』においても、次のように語っている。「精神が向上する時には、進歩は、ある程度、自分次第だ。……ああ、人間となれ、そうすれば、神になるであろう。しかも半ば自分で造られるのだ。野心、何と神的なもの。[84]」ヤングの言う野心とは、人間相互の関係を問題にしているのではなく、つまり、他人よりも傑出したい、他人よりも名声を得たい、という相対的なものではなく、人間自体が〈第二の神〉、つまり創造の主体にならんとする絶対的な野心なのである。それは十八世紀前半の思想家が激しく非難した罪であったが[85]、ヤングはあえて藝術創作におけるプライドこそ、人間精神を向上させるバネとして肯定的に捉えようとしたのである。

ヤングの模倣論及び天才論に一貫して認められる主題をまとめるなら、ヤングの模倣論において最も重要な点は、模倣の精神によって人は自分の個性の刻印を帯びたオリジナルを創作することができなくなってしまう、従って、古典の作家のもっていたような創造的能力をもたねばならない、ということであった。その点で、近代人は古代人と言わば競争しなくてはならないと主張したのである。また、ヤングは真の天才が悟性的なものを超越していると捉え、藝術家を言わば〈第二の神〉と考え、さらに、天才の創造には植物の自然な成長のイメージが与えられていると捉えた。こういった主張の中に暗に主題化されていることは、成長あるいは進歩のイメージであって、それは（作品の側からみれば）作品の自然的な生成であり、（創作の主体の側からみれば）人間が古代人のもっていたような創造的精神に到達することであり、また神のごときものへと成長することである。ヤングは次のようにも述べている。「汝を尊重し、外からの最も豊かな輸入物よりも、汝自身の精神の生得的な成長を好みなさい(86)。」ヤングは人間が藝術創作に主体的に関与できる契機に関して、「作品をより良くするための努力とか勤勉」といった伝統的概念を「野心」に取り替えて、人間の内なる創造的精神を必要不可欠なものと考えた。ここには、個性や無意識や自然的創造性といったロマン派の時代の息吹が既に明瞭に芽吹き始めているのである。

注

（1）使用したテキストは、Edith J. Morley, *Edward Young's Conjectures on Original Composition*, Longmans, Green & Co., 1918. 以下で引用書物名のないものは、このテキストに拠る。

（2）特に、一七五七年一月十四日付及び一七五八年十二月二十六日付書簡の中には、リチャードソンの懇切丁寧な助言がみられる。cf. Henry Pettit (ed.), *The Correspondence of Edward Young 1683-1765*, Oxford U. P., 1971.

（3）p. 50. 巻末に当時の批評が載せられている。

（4）cf. John L. Kind, *Edward Young in Germany*, Macmillan, 1906.

（5）Rudlf Wittkower, Imitation, Eclecticism, and Genius, in Earl R. Wasserman (ed.), *Aspects of the Eighteenth Century*, Johns Hopkins Press, Baltimore, 1965. p. 144.

（6）十八世紀イギリスの模倣概念を包括的に述べたものとして、ドレイパーの論文がある。John Draper, Aristotelian 'Mimesis' in Eighteenth Century England, *PMLA* 36, 1921.

（7）Richard Hurd, On Poetical Imitation, 1751, in *The Works*, vol. II, 1811, Georg Olms, 1969, p. 111.「創意」は invention の訳語である。

（8）Sir Joshua Reynolds, *Discourses on Art*, R. R. Wark (ed.), Yale U.P., 1975, p. 100.

（9）例えば、レノルズは、画学生の初期の努力は模倣に向けられねばならないことを述べた後で、「画家は、一人の巨匠がどんなに卓越していようが、その権威に黙従しないようにしなくてはなりません」と忠告している。Reynolds, op. cit., p. 41.

（10）original という名詞は、主として①原作、②独創的なものという二つの意味で用いられる。しかし、原作であるということはとりもなおさず作者の独創であるという意味で、両者の意味は多少重なり合っている。オリジナルとしたのは両者の意味を含ませるためである。

（11）p. 6.

（12）Jonathan Richardson, *An Essay on the Whole Art of Criticism, as it relates to Painting*, 1719, Georg Olms, 1969, p. 225.

（13）ibid., p. 226.

（14）ibid., p. 224.

（15）p. 7.

（16）p. 14.

（17）p. 9.

（18）p. 8.

（19）p. 19.

（20）p. 33.

（21）pp. 19-20.

（22）エリザベス・L・マンの批評は、ヤングの言葉に関する的確な注釈となっている。「作家の人格における差異という事実を受け入れること、そしてその差異に基づき、書物における様式やスタイルの個別性や独一性さえ是認して、独創性を定義づけることは、新古典主義的な統一性の基準からの革命的な出発を意味した。」Elizabeth L. Mann, The Problem of Originality in English Literary Criticism, 1750-1800, *Philological Quarterly*, XVIII, 1939, pp. 109-110.

(23) E・R・クルツィウス『ヨーロッパ文学とラテン中世』余論「隠喩としての猿」南大路振一他訳、みすず書房、一九七一年。及び、E・パノフスキー『イデア』中森義宗他訳思索社、昭和五十七年、一六七―六九頁参照。
(24) cf. Georges Wildenstein, *Chardin*, Les Beaux-Arts, édition d'études et de documents, 1921, fig. 183.
(25) p. 20.
(26) p. 24.
(27) p. 20.
(28) p. 11.
(29) p. 12.
(30) p. 11.
(31) p. 11.
(32) p. 11.
(33) Reynolds, op. cit., p. 203.
(34) ibid., p. 94.
(35) p. 10. cf. p.16.
(36) p. 12.
(37) p. 25.
(38) p. 12.
(39) p. 10.
(40) p. 37.

(41) p. 31.

(42) p. 30.

(43) ルネサンスから十八世紀に到る天才概念の主要な位相を知る上で、ウィットカウアーの論考は参考になる。Rudolf Wittkower, Genius: Individualism in Art and Artists, in *Dictionary of the History of Ideas*, Charles Scribner's Sons, 1973.

(44) John Dryden, A Parallel of Poetry and Painting, 1695, in *The Works* vol. XVII, James Ballantyne, 1808, p. 313.

(45) Alexander Gerard, *An Essay on Genius*, 1774, Bernhard Fabian (ed.), Wilhelm Fink, 1966, p. 14.

(46) ibid., p. 27.

(47) ibid., p. 8.

(48) p. 13.

(49) p. 37.

(50) p. 26.

(51) The Poetical Scale, in *The Literary and Antigallican Magazine*, 1758, Jan., p. 6.

(52) p. 17.

(53) p. 17.

(54) p. 15.

(55) p. 14.

(56) p. 13.

(57) p. 14.

(58) pp. 13-14.

(59) p. 14.

(60) カッシーラーは詩人の創造性に着目し、簡略であるが、本質を見抜いた指摘をしている。「……シェイクスピアの悲劇の考察や『失楽園』に対する驚嘆から、ヤングは天才的な詩人の創造は、日常的な単なる知的尺度・比量的な悟性の尺度によっては表現できず、ましてやそれをあますことなく論じ尽くすことはできない……という確証を得たのであった。」Ernst Cassirer, *Die Philosophie der Aufklärung*, J. C. B. Mohr, ^{3}1973, S. 429.

(61) p. 22.

(62) p. 18.

(63) p. 14.

(64) p. 14.

(65) Samuel Johnson, *The Rambler*, vol.II, Donald D. Eddy (ed.), Garland, 1978, p. 918.

(66) ibid., p. 919.

(67) ibid., p. 922.

(68) ibid., p. 922.

(69) Anthony, Earl of Shaftesbury, *Characteristicks of Men, Manners, Opinions, Times*, 1711, p. 192.

(70) Horatius, *Ars Poetica, ll.* 408-11.

(71) p. 7.

(72) J. Addison, *The Spectator*, no.160, 1711.

(73) p. 21.

(74) p. 6.

(75) M・H・エイブラムズ『鏡とランプ――ロマン主義理論と批評の伝統――』水之江有一訳、研究社、一九七六年、一九八―二二六頁。

(76) Bernhard Fabian, Introduction to "Alexander Gerard; *An Essay on Genius*", 1774, Wilhelm Fink, 1966, p. xxv.

(77) p. 23.

(78) p. 21.

(79) p. 23.

(80) p. 24.

(81) S・リチャードソンは、この点に関して、「自己崇拝とは生き生きした表現ですが危険な表現ではないでしょうか」と忠告している。Henry Pettit, op.cit., p. 486.

(82) p. 9.

(83) p. 12.

(84) E. Young, *Night Thoughts*, Night IX, *ll.*1961-96, Georg Olms, 1968, p. 232.

(85) 十八世紀の反プライド論が現れた背景については、以下の論文が興味深い。Arthur O. Lovejoy, "Pride" in Eighteenth-Century Thought, in *Essays in the History of Ideas*, Johns Hopkins Press, 1948, Greenwood Press, 1978. 本書第三章参照。

(86) p. 24.

第八章　アリグザーンダ・ジェラードとウィリアム・ダフにおける天才概念

序

イギリスの十八世紀において繰り返し論じられたテーマの一つに、天才概念がある。英語の genius という単語は、守護神を意味するラテン語の genius との類推から、単なる才能以上の能力を指すようになっていったが、依然として、天才は生まれるものなのか獲得されるものなのか、といった問題も論壇をにぎわしていた。この問題は、ホラティウスの『詩法』の「すぐれた詩は自然（natura）の所産なのか、技（ars）の所産なのか」[1]という言葉に由来するものであり、特にルネサンス期以降の藝術論のトポスとなっていたが、十八世紀になるとこの natura 対 ars の対立の図式が天才概念にもあてはめられるようになったのである。

一七一一年、アディスンはこのテーマを取りあげ、天才を自然の天才と作られた天才とに区別し、前者としてホメロス、ピンダロス、旧約聖書の詩篇の作者、シェイクスピア等を、後者としてプラトン、アリストテレス、ウェルギリウス、キケロ、ミルトン、ベーコンをあげている[2]。一方が「技や学識に助けられずに天性の資質の力だけによる」天才であるのに対して、他方は「規則に基づいて自己形成し、天性の偉大さを技の修正と抑制に委ねてしまっている」天才であり、この対比は、ヤングの『独創的創作に関する臆説』における、学識など必要としない天性の大人の天才（adult genius）と育まれ教育されることによって成長する幼い天才（infantine genius）との区別にも影を落としている。[3] しかし、天才の霊感に疑いの目を向けた人物もいた。それが初代王立美術院長ジョシュア・レノルズ卿であった。一七七四年の王立美術院の講話において語られている彼の主張の要点は、「天才さえも、……模倣の子供なのです[4]」という言葉に集約される。レノルズは、一般に広まっていた捉え方、つまり天才は技の規則では到達できない卓越性を生み出す力であって、誰によっても教えられないし、勤勉さによっても習得できない力であるという捉え方を否定して、形の美や感情表現や構図法や作品に荘重な雰囲気を与える力さえも、天才や霊感の力によるのではなく、綿密な観察と経験の結果であると主張した。「卓越性が常に確実に生み出されることは偶然によってではありえません。このことは偶然の本性ではないからです。そうではなく、並外れた資質を備えた人や天才と呼ばれるような人が活動する際に用いる規則は、彼ら独自の観察によって発見されるようなものであったり、言葉ではなかなか表現できないほど微妙な構造をもつものだったりするのです。[5]」そして、レノルズは、人間の精神は枯れた土壌のようなものであるから、自分とは異なる素晴らしいものを模倣することによって滋養を取り込まなければ、偉大な作品を生むことはできないと主張する。「創意は天才の最も偉大な刻印の一つです。しかし、もしも経験に照らして考えるなら、我々は、他人の創意と交わることによって、創意を生み出すことを学ぶことが分かるでしょう。ちょうどそれは、他人の思想を読むことによって、思索することを学ぶのに似ています。[6]」「我々の精神を様々な観念で孕ませるために我々の前に偉大な藝術作品を常に置いてきたなら、その時、ようやくその時になって、我々は同じ種類のものを生み出す準備ができるのです。[7]」天才を霊感に還元することを拒み、偉大な巨匠を模倣することによって偉大な着想を生み出すことができると説く点で、レノルズは、才能の後天性を力説したのである。

十八世紀末に、ウィリアム・ジャクスンは、その世紀の天才論を振りかえって、「天才は生まれるのか、獲得されるのか」と題された論説の中で、霊感説を信奉する流派に対してレノルズに代表される天才否定論者に反駁を加え、次のように語っている。「もし天才が［後天的に］獲得されうるものなら、シェイクスピアのような人がもう一人出てこないことを説明できないように思われる。[8]」絶えざる研鑽によって天才になれるのなら、シェイクスピアに匹敵するくらいの天才が再び現れてもおかしくないではないか、というのである。ジャクスンは、獲得できるのは才能（talents）であって、天才（genius）ではない、両者が混同されているから、天才が後天的に獲得されるなどという誤解が生じるのであると述べ、「以前には存在していないものの創造（creation）[9]」を可能にするものこそ天才なのであって、それは天賦のものなのだと主張している。

アディスンとジャクスンに挟まれた時代の天才論においては、天才は natura の所産なのか ars の所産なのか、という古来の説の焼き直しにすぎない論争が繰り返されたが、そこには十八世紀的な特質も表れている。天才が、当時流行したテーマであった趣味・崇高・独創性・想像力との関わりから論じられたからである。本章は、イギリスの天才論の中で最も重要な著作の中に数えられるジェラードとダフの天才論を取りあげ、natura か ars かという視点とは別の角度から、ロマン的天才概念が登場する前夜の天才概念の特質を明らかにすることを目的とする。

一　アリグザーンダ・ジェラードの天才論

《創意の能力としての天才》

ジェラードの『天才論』（一七七四年）は、天才論が流行した時代を通観してみるなら、比較的遅い時期に出版された。しかし、序で述べられているように、この著作の第一部全体と第二部の一部分は一七五八年には既にできあがっていたとするならば、ジェラードの天才についての基本的骨組みは、天才論が最も注目された時期に構想されたと考えられる。事実、フェイビアンが明らかにしているように[10]、一七五九年に出版されスコットランド学士院とも言うべきエディンバラ協会によって賞を与えられた『趣味論[11]』と同様、『天才論』はアバディーンの哲学協会での活動に関わっており、その際の草稿を基にしていることも、その証左である。

ところで、この時期の天才論にほぼ共通してみられる点として、独創性と天才概念が密接に関連していることがあげられるが、ジェラードの天才論において強調されているのは、独創性よりもむしろ伝統的な修辞学の概念である創意（invention）である。このことは、例えば、独創性を最も先鋭的に唱道したヤングの天才論の中では、invention という単語はほとんど使用されていないのに対して、ジェラードの天才論の中では、一〇〇回以上も使用されていることからも窺える。この invent という動詞の目的語としては、新たな種類［の詩[12]］、絵の主題[13]、自然で調和した装飾[14]などがあることにも表れているように、invent は、主として作品の主題やジャンルの創出に関わるものとされている。この点でジェラードの invention 概念は、作品の創意や主題の選択に関わっていた伝統的な修辞学の invention 概念を下敷きにしていると考えられる。また、創意・配置・表現からなる修辞学の三分野[15]の中で、配置が創意の中に含められているとはいえ[16]、創意と表現という修辞学的概念が彼の天才論の中心的な骨組を形成している。表現については後ほど述べることにして、この創意の能力については、以下のような定義が与えられている。「天才とは元来創意の能力であり、それによって人は科学上の新たな発見をし、独創的な藝術作品を産出する（produce）ことができる[17]。」「創意とは藝術作品において新たな美を、科学的事象において新たな真理を産出する能力である[18]。」確かに、ジェラードに与えた修辞学の影響はキケロやクインティリアーヌスが頻繁に脚註に登場することを見ても明らかである。しかし、inventionという用語は修辞学の専売特許だったわけではなく、十八世紀中葉まで政治や戦争や探検に属する独創的な活動もinventionもしくはそれに類する語で語られてきたこと、[19]あるいは、inventionが発見に関わる概念であったことを考慮するなら、[20]inventionが独創的な作品、あるいは新たな美や真理を産出する（produce）能力とされていることは、注目に値する。フェイビアンが指摘しているように、produceとは、カントにおける産出的構想力（produktive Einbildungskraft）に継承されてゆく概念なのである。[21]それに加え、単に藝術の創作能力ばかりでなく、科学上の新たな発見や真理に関わる能力として捉えられている点も、彼の天才論の時代的特質として指摘できるであろう。例えば、ニュートンの重力の法則や光学理論も新たな発見であり、ニュートンは、ホメロスやシェイクスピアとともに、ジェラードの天才論の中では、一人の偉大な天才とみなされている。その意味で、モルチエの指摘するように、十七世紀の科学思想が十八世紀の天才論の主要なイメージを形成していたのである。[22]しかし、ジェラードの天才概念の最も重要な一面は、彼が当時の連合心理学的視点にたって、創意を人間の様々な基本的な知力（感覚・記憶・想像力・判断力）[23]と関係づけて論じ、「想像力こそ、創意の源である」[24]と規定した点に求められるように思われる。それは、天才を完全に神秘的な論じることのできない能力として片づけてしまうのではなく、連合心理学的視点から解き明かそうとした科学的・分析的発想の表れでもあった。そこで次に、天才と人間の認識能力との関係をとりあげることにする。

《想像力と趣味能力の連携としての天才》

ジェラードによれば、感覚は個々の瞬間に現前し、感覚の注意をひきつける実在の対象だけに関わる。また、記憶は、感覚が伝えた知覚に一種の持続を与えるが、新たな知覚を生み出しえない。それは、鏡のように、我々が以前知覚した対象の忠実なイメージを反復するだけである。[25]既述のごとく、創意は新たな美や真理をもたらす能力である。従って、現実に心に立ち表れる対象を知覚するだけの感覚や過去の知覚の再生しか許されない記憶は、創意と本質的な関係をもちえないのに対して、想像力は創意と最も深い関係を有する。そこで両者を明らかにしなくてはならないが、その前に、記憶と想像の関係を一瞥しておく。

ヒュームは、記憶と想像を区別するために、記憶が勢いと活気（force and vivacity）において、想像よりもはるかに優っており、それ故信念（belief）を伴っている点と、もともとの感覚印象と同じ順序を有している点をあげている。[26]ヒプルの指摘するように、想像力に関しては基本的にヒュームの哲学を継承しているジェラードにおいては、[27]ヒューム的見解が繰り返し述べられている。常識的ではあるにせよその要点を述べるなら、記憶はもともとの感覚印象やそれらの単純知覚の配置や構成をとどめているばかりでなく、そういったものを知覚したという確信（conviction）も含む。従って、様々な観念は、混乱した状態にあるのではなく、明瞭なイメージを形成し、正しき釣合をもって保持される。記憶にこのような特性があるからこそ、我々は実際に観察した歴史や自然を順を追って想起することができるというのである。[28]

しかし、やがて記憶が薄れると、諸観念の順序は忘れ去られ、諸観念はもともとの感覚印象の配置や構成とは無関係に知覚されるようになる。つまり、想像力が感覚や記憶によって精神の中に蓄えられた諸々のイメージを素材として利用するようになるのである。「最も輝かしい想像でさえ、元来感覚と記憶に由来しない観念を呈示することはできない」[29]のであって、「自然の中に少しも似たところのない詩人のつくった最も大胆な虚構すら、自然に実在している諸々の部分からできている」[30]。しかし、想像力は感覚や記憶の伝える観念を利用するとしても、その観念を単なる再生像として呈示するのではなく、それを「無限に多様な形へと変形し、多様化し、複合化し、全く新しい数知れない観念の結合を生み出す。[31]」ここにおいて、ジェラードが想像力の生産的活動に対して「創造力（creative power）」、想像力の生産物に対して「創造物（creation）」という語を用いている点は、注目しておいてよい。[32] 英語における初出として、*OED* は、カドワース（Cudworth）の「この神の、奇跡的な創造力」（This Divine, miraculous, creative Power, 1678）をあげているが、creation という元来神の創造について語られる語が、invention に代わって、人間の創作の場においても使用され、さらに、こうした創造性は、人間の精神に宿る想像の excurtion、つまり〈思い巡らす〉傾向に基づくとされたのである。「こう名付けてよいなら、連想の回り道は、豊かで予期できない領域へと到り、想像の高貴なほとばしりを招き、前人未踏の道を突き進み、高雅な着想や美しい着想に到りうる天才の並々ならぬ力を知らしめる。[33]」ロックやヒュームにとって、自由な空想とは、正しい判断を誤らせる源であって、時には盲目の天使に喩えられるものであった。確かに、ドナルド・F・ボンドが詳細に論じているように、[34] 新古典主義の時代には、想像的文藝に対する知的文学、つまり雄弁術や哲学や科学の著作においては、想像力に対しては根深い不信感が表明されていた。しかし、ジェラードは、連想の回り道・散策・逸脱・偶然的な観念連合といった、予期できない諸々の観念の生成と結合を生じさせる想像の活動に着目し、それを藝術における天才の一つの特質として評価し、さらに、それ以前には判断力こそ求められるとされていた科学（学問）における天才においても、想像力の活動の重要性を力説したのであった。[35]

では、何がこうした連想の働きを導くのであろうか。この点について、彼は、隣接性（vicinity）、類似性（resemblance）、反対性（contrariety）、共在性（co-existence）、因果性（cause and effect）、順序（order）の六つからなる観念連合法則を挙げて説明し、[36] 藝術上の天才においては主に類似性が、科学上の天才においては主に共在性と因果性が関与するという。しかし、観念と観念の結びつきに以上の法則性を見いだすことができるとしても、いかなる観念を結び付けるのかは、その人の個人的な資質による。つまり、何を連想するかは、その人の習慣や感情に左右される面があり、根本的には未知数なのである。さらに言えば、連想においては、観念連合法則に則った明瞭な結びつきのあるものを連想するのではなく、その結びつきがはっきり分からないものを連想することこそ、天才の天才たる所以なのであって、例えば、『趣味論』の中で彼は、「何らかの点で関連している最も遠く隔たった諸々の観念を即座に結び付けること」[37]を天才の invention の能力の特質として認めている点は、後のシュルレアリズム的見解に通じるものとして、注目に値する。

このように想像力の自由な活動の重要性を唱える一方で、彼は、そこから生じる豊かな観念の危険性にも気づき、次のように述べている。「肥えた土地が最も多くの穀物ばかりでなく、それを枯らしてしまうような雑草をはびこらせるように、豊かな想像は、正当で役立つ観念と共に、多くの取るに足らぬ誤った不適当な思想も生み出す。[38]」すなわち、想像力は、豊かな観念を生み出すにせよ、もし全く自由のままに放置されるなら、荒唐無稽な気まぐれで突飛な考えを生み出すことになる。それ故、ジェラードは、一方で、想像の自由を主張しながら、他方で、想像の気儘な活動を統制してゆく必要性を強調する。そして、想像に常に付随してその呈示するものを直接的に検証し拒絶し規制してゆくのが、判断力であった。ジェラードは、比喩的に次のように述べている。「空想は、価値のない土塊《つちくれ》と豊かな金鉱を両方投げ出すのに対して、判断力は、熟練した精製業者のように、双方を識別し、後者に含まれる黄金を精製して、そこに混入している不純物を取り除く。[39]」先の創意の能力との関わりから述べるなら、「想像力が創意を生み、判断力は想像力が生みだしたものに関して、まさに吟味し決定づける[40]」のである。総じて言えば、ジェラードが藝術における判断力について語る時、それは科学において必要とされる「厳密で労苦に満ちた判断力」、すなわち推論の能力ではない。彼は藝術においてそのような判断力の介入を認めるが、より重要なものは、「さほど厳密ではないが即座に働く判断力」である。それが、美的判断力であり、端的に言えば趣味能力である。[41]そして、この趣味能力が想像力に付随して、想像力の取り集める諸々の観念の「冗長さを切り捨て、無秩序を正し、欠点を補う」[42]ことにより、作品を完成に導く。つまり、想像力は、趣味能力に支えられることによって、単なる観念の戯れに終わることなく、作品を完成させるに到るというのである。

　では、趣味能力が想像力の生み出す無駄な観念を修正してゆくとすると、いったいそれはいかなる基準に従っているのであろうか。この点に関して、彼は、「藝術において、想像力はある程度作品全体の見取り図を描く。……詩や絵の創案（plan）は空想の力だけで心に宿るかもしれない」[43]と述べている。また、彼は、想像力を建築家に喩え、想像力は素材を集め選択するばかりでなく、「規則的で釣合のとれた建造物の図面を描く」[44]としている。つまり、想像力の役割は単に観念の収集だけにあるのではなく、同時に諸々の観念の全体像を思い描くことにもあり、それに対して、趣味能力は、そうした全体像としての「一種の原型」[45]に従って無秩序な観念を整えていくことにより、最初はカオスであった諸々の観念を徐々にまとまった形に到らしめる。ジェラードは、「この趣味能力の働きなくして、構想（design）の最初の粗雑な着想（conception）は決して改善されることもないし、いかなる完成作品も生み出されない」[46]と述べている。しかし、この一文にも示されているように、そしてまた、「想像力の描く最初の見取り図は完成された作品とは異なっている」[47]とも述べられているように、想像力が最初に呈示する構想は、最後まで常に一定したイメージとして作者の精神にとどまっているようなものではない。つまり、それはイデア的な静止した全体像ではなく、いわば想像力と趣味能力の共同作業による「繰り返しの試みと変更」[48]によって、終始修正されながら完成へと向かう力動的な全体像なのである。こうした創意の修正作用、つまり、作品の全体像はフィード・バックされて徐々に改変されると捉えた点に、ジェラードの天才論の最も現代的な視点を認められるように思われるが、この全体的構想の最終結果を予測するには創作家の活気に満ちた想像力と活発な趣味の働きが求められるという。「もし画家が現実にキャンバスの上に彼の構図を描くまでその構図について判断を下すことができないなら、彼は一枚の絵を完成させることができないであろう。美術において創意工夫する人は誰も、そのような想像の活気と趣味の素早さをもたねばならない。それが結合して共に働くとき、自らの着想と立案の結果を予見する能力が与えられるのである。[49]」但し、これら二つの活動、すなわち想像力が着想を生み出すのと、趣味能力が素材を吟味・構成してゆくのとは、全く次元の異なる別の活動とみなしてはならない。想像の活気と趣味能力の素早さが結合して働くとは、二つの活動が渾然一体として瞬時に行われることを意味するのである。ジェラードは、根本的な点で観念を産出し結合する天才の力を自然に喩え、次のように述べている。「素材を集めることと、それを秩序化し応用することとは、天才においては、截然と区別されて連続的に継起するものではない。この能力は、その働きにおいては、さほど完全ではない技の力よりも自然によく似ている。[50]」それは、植物が水分を大地から吸収すると同時に滋養に変え、その滋養が導管を通って循環すると同時に各部分に吸収されるのに似ており、言わば「魔法の力」によって支配されるというのである。

《天才の表現能力》

前節では、天才の創意の能力が想像力と趣味能力に依存していることが明らかにされた。しかしながら、ジェラードにとって、天才は単に創意の能力ばかりでなく、表現の能力も含んでいなくてはならなかった。なぜなら、創意とは精神の内部で新たな着想を生みだし、それを秩序づけてゆく能力であるのに対して、そのような着想を現実のキャンバスに描き、詩脚に止めるといった、具現化する表現の能力が、天才には求められるからである。ジェラードは、『趣味論』の中で、次のように述べている。「藝術における天才には、構想（design）つまり立案の能力ばかりでなく、同様にその構想を適切な素材において表現する能力も含まれている。[51]」また、『天才論』の中では、制作（execution）という語が用いられ、「藝術における天才には、いかなる場合にも、創意の力だけでなく制作の力も含まれている。藝術によっては、表現様式あるいは制作道具が全く異なっているのであるから、そうした仔細な点に入らねば、天才のこの側面を十分に説明することはできない。しかし、着想を表現するための、ある道具を用いる能力は、どんな藝術の天才にも共通している[52]」と述べられている。ジェラードにとって表現（expression）という語は、制作（execution）という語ときわめて近い意味で用いられているのであるが、「魂の情念や情緒を表現すること[53]」、「詩人が自分自身で意識し、他人の中に発見した感情や情念の……表現[54]」という用例にも見られるように、作家が自らの精神の内に抱いた着想や感情、あるいは登場人物の情念などを作品において結晶化することを意味しているのに対して、制作という語は、より具体的な物理的次元における手の活動により深く関わっている。それ故、もしこのような表現や制作の能力が天才に欠けていたなら、「最も輝かしい想像すら、欠陥のある、あるいは麻痺した肉体の中に閉じこめられた活気ある精神のようなものになってしまう[55]」のである。

かくして、表現は物質的な素材とも関わり、この活動においては様々な藝術における表現様式や制作道具の違いが問題となるのであるから、表現には機械的な側面が必然的に関与することになる。例えば、ジェラードはそうした側面として、絵画における絵筆の使用、音楽における楽器の使用、詩における韻律の技巧や詩作法の器用さをあげ、「その限りでは、表現は学ぶことができ、そして、練習をしないならいかなる人も表現において完全にはなりえない[56]」と述べている。表現は後天的に獲得される側面をもつという主張に加え、特に知識の重要性も指摘されている。例えば、言語における単語、言葉の構造、それにふさわしい韻律に関する知識、あるいは解剖学や遠近法、色彩の本性に関する知識も、詩人や画家にとって必要である。ジェラードは、天才の創意の能力については自然の産出力に似た活動を認めながらも、表現の能力においては、後天的な側面を容認している点で、天才の先天性と後天性を同時に主張しているのである。とはいえ、彼は、表現に必要とされる技法や、研究によって獲得される知識を表現の本質と考えていたわけではなく、「藝術家の心を動かした観念・連想・感情が他人の心を動かすように作品の対象を構成する能力」[57]こそ、表現のより本質的な特性とみなしていた。つまり、表現とは、作家の精神内部の感情や構想を作品という具体的形態へと結実させる営みであって、そのために、制作に関わる物理的な位相も関与するのであるが、それを超えて、作者と同じ感動を鑑賞者に伝えること（つまり、鑑賞者の感動）まで射程に入れた概念なのである[58]。

以上、ジェラードの天才論は、構想と表現という修辞学的な骨組みを援用しつつ、天才の能力を霊感という神秘的な概念に還元せずにあくまで科学的に解明しようとした試みであったと言える。しかし、逆に、特にロンギノスから多大な影響を受けて天才の霊感的側面を強調しながらも、結果的には新時代を反映した天才論の著者もいた。それが、ウィリアム・ダフであった。

二　ウィリアム・ダフの天才論

《独創性と天才》

ダフの『独創的天才論』（一七六七年）[59]は、全二巻に分かれ、第一巻は「天才の本性、適性、意味、ならびに、様々な様態の働きについて」と題され、その基本的主張は、天才の創作においては想像力の飛翔と判断力による規制とが共に求められる、という点にあり、従って、ジェラードの天才論と基本的に同一線上にある。しかし、ダフ自身が序で述べているように、第一巻は「独創的天才、ならびに、その指標、作用、効果について」と題された第二巻の序論とみなされるべきものであり、独創的天才を主題とした第二巻こそ彼の主張の根幹をなしており、そこにはジェラードとは異なる特質もみられる。独創性が主たるテーマになっていることもその一つである。original という語が十八世紀前半において多用された点を顧慮し、まず当時の用例をみることにする。

フランス新古典主義的絵画論、例えば、アンドレ・フェリビアンの『画家の理念』ならびにそれに強い影響を受けたジョナサン・リチャードスンの『絵画批評術論』において、original は、copy と対立する概念として論じられている。[60]既に第七章でも触れたが、例えば、リチャードスンは、絵は一般に創意・写生・別の絵の模写に従って描かれるという視点から、オリジナルと模写《コピー》の区別について以下のように述べている。「模写は、既に作られた作品の反復であって、その場合、藝術家はそれに倣おうと努力する。それに対して、自然を模写しようと努め、構想や写生によって作品を作る藝術家は、オリジナルを作る。[61]」構想あるいは写生に基づく絵は、オリジナル（原作）であるのに対して、他の絵をもとに描かれた絵は模写である、というのである。しかし、他の絵に倣って描かれた模写も、場合によってはオリジナルとなる。「もし絵がもう一枚の絵に従って描かれ、後に構想や写生に委ねられ、［画家が］その絵に従うのではなくそれを改善しようと努力するならば、それはオリジナルとなる。[62]」模写は原作よりも劣っていることは一般に真実であるにせよ、例えば、よりよい手腕をもった画家が模写し、原作の絵の欠点を直し、改良を加える場合には、模写のほうがよくなる場合も生じる。その場合、模写された絵は、オリジナルと呼ばれるというのである。それ故、オリジナルには二つの微妙な意味の違いがあることになる。すなわち、絵が写生あるいは新たな構想に従って描かれる場合、その絵は原作（つまり、最初に描かれた）という価値はもつが必ずしも優れているとは限らない。また、他の絵に倣って描かれたにせよ、その原作よりも手腕や思想において優れたものをつけ加えられるなら、その絵はオリジナルなのであって、「他にはない特有な性格をもったもの、独創性の例[63]」となる。要するに、オリジナルとは、時間的先後関係において先んじる「最初のもの・本物」という意味と、価値的に先行する「それまでなかった優れたもの・独自なもの」という二層の意味とをもつのである。

例えば、天才論の中で多用されている original の意味には、以下のようなものがある。ジェラードにおいて、original という名詞は、主に、模写（copy）と対比的に使用されて「原作・本物」という意味で、あるいは、肖像画や風景画における「描写対象としての原物」という意味で用いられ、また、original という形容詞は[64]、感覚印象などに関して「最初の」という意味で用いられ、もしくは、天才（genius）、作品（work）、発見（discovery）、創意（invention）の修飾語として「独特の・独創的な」といった価値的意味を担わされて使用されている。しかし、価値概念としての original は、ジェラードにおいては数度しか使用されていないのに対して、ダフにおいては情感（sentiments）や作家（author）の修飾語として、哲学的天才や詩的天才の修飾語として頻繁に使用されており、また、独創性という意味で originality という名詞が用いられており、ここに彼の天才論における独創性の重要性を見て取ることもできよう。彼は、この独創性という語を次のように定義している。「天才と結びついた original という語は、この作用の種類ではなく程度を示し、それは常に最高の程度を指している。[65]」さらに、original は、それまで存在していなかったものの発見に関わる精神の能力に当てはめられ、しかもその能力の生得性を指している点は注目される。「天才に当てはめられた時の独創性《オリジナリティ》という語によって我々が意味するのは、それがその能力を働きかける主題において新しい常ならぬものを発見する、精神が所有する生得的で根源的な力である。[66]」

《想像の飛翔と超自然的性格の構想》

ダフにおいて、独創的天才とは、すべての領域において優れた万能の天才を指すわけではない。ダフは、独創的天才を哲学的な天才、詩的天才、その他の諸藝術（絵・雄弁術・音楽・建築）の天才に分け、さらに詩的天才を悲劇における天才や喜劇における天才などに分けている。さらに、「人間の能力は概して制限されている」ゆえに、例えば、「悲劇の天才と喜劇の天才、あるいはより崇高な種類の歴史画の天才と下層生活の滑稽やユーモアをもった作品の天才が、同一人物において結びついているのを発見することはめったにない」として、独創的天才は、一つの領域において傑出しているだけで十分であるという。[67]では、天才はすべての領域で全く同じように独創的になりうるのかというと必ずしもそうではなく、例えば悲劇と喜劇とでは、悲劇のほうが独創性を発揮しやすいという。すなわち、喜劇の場合、創意は実人生から取られて、我々の悪や愚行を忠実に描写するのに対して、悲劇や叙事詩においては、登場人物も事件もかなりの程度虚構によっているので、より自由な創意が求められ、独創性が発揮されやすい。従って、それぞれ異なる能力が求められる。「叙事詩や悲劇の才能を形成するのに必要なのは崇高で創造的な想像力であり、喜劇における手腕に主に求められるのは、人間についての広範な認識を伴った、鋭敏で生き生きとした想像力である。[68]」

しかし、作家にとって、悲劇のほうが独創性を発揮できるとはいえ、それ以上に独創性と結びついたものがあった。それが超自然的な性格の構想であった。彼は、独創的な詩的天才を他からきわだたせる一つのメルクマールとして、「事件、性格、イメジャリー、思想」の四つの構想をあげ、性格の構想については、現実的性格・英雄的性格・人間とは異なる超自然的な性格の三つに分けている。これはアリストテレスの『詩学』の一四四八aを念頭においたもので、現実の性格は喜劇に、英雄的性格は悲劇に関わるのであろうが、注目に値するのは、最後の、幽霊や魔女や妖精といった性格の創意である。すなわち、ダフは、異常とも言える幻影的な存在物の領域こそ、判断力の規制を受けずに想像が最も自由に飛翔できる領域、それ故独創性が最高に発揮できる場と考えたのである。「確かに、この架空の領域は空想に固有の領域であって、空想は判断力の厳しい規制によって抑制されずに、手綱をゆるめられてさまようことができる。というのは、判断力は、この作り話の領域ではあまり権限をもたないからである。適切な特性や役割を与えられた上述の超自然の性格の創意やその披瀝は、真に独創的な天才の最高の力であるとともに、その最も重要な証拠でもある[69]。」「最も野性的で放縦な想像力が〈可視的な昼間の領域を超えた〉この種の散策において最もよく成功する[70]。」ダフは、超自然的な事件を扱ったジャンルにおいて最も成功した作家としては、シェイクスピアとオシアンを挙げ、例えば『最も著名な独創的な詩の天才に関する批評論』（一七七〇年）の中では、オシアンの詩の幽霊の描写の見事さを長々と論じているが[71]、こうした説が公表される時代背景として、この二人の独創的天才に対する熱狂があったことは見逃してはならない。というのも、当時の多くの批評家は、スペンサーやシェイクスピアやオシアンにおける超自然的な幽霊や魔女や妖精などを、詩人の最も独創的な創作物とみなしていたからであった[72]。超自然的な世界は、彼らやゴシック小説によって実践的に正当化され、ダフや後のコウルリッジの所謂「不信の自発的停止」説によって理論的に擁護されることになる。

この説は、詩的リアリティに関わるものであって、既にダフは、「トレンモールの幽霊の描写は、……実に特異で生き生きしているので、それを読んでいると、現実の幽霊の効果を幾分心に感じる[73]」と述べ、日常的意識では信じ難い超自然的出来事でも見事な藝術的塑性を受けた作品にあっては現実味をもって迫ってくることを指摘していたが、後にコウルリッジは、「老水夫行」を含む『抒情民謡集』（一七九八年）の出版のいきさつについて語っている『文学的自叙伝』第一四章で、この説をより明確に主張したのであった。それによれば、詩の根本的な二つの傾向である「自然の真実に忠実に従うことにより読者の共感を呼び起こす力」と「想像力の修飾する色彩によって新奇な関心を与える力」をもつ詩を、ワーズワースとコウルリッジ二人がそれぞれ詩作する試みの結実として生まれたのがこの詩集であった。すなわち、文学作品の一方の極には日常的主題を扱った作品が、他方にはロマンスや怪奇譚のような超自然的主題を展開させる作品が存在するが、前者のあらゆる村でも見いだせるような平凡な生活から選ばれた素朴な主題をもとに詩作を試みたのがワーズワースであったのに対して、事件や主人公のどこかに超自然的要素を含む詩を載せたのがコウルリッジであった。彼は次のように自己の詩作の態度を物語っている。「……私の努力は超自然的な、少なくともロマン的な人物や性格に向けられるべきであるということに意見の一致をみた。しかし、それはこのような想像力の幻影に対してその間不信の自発的停止を惹き起こすに足るほどの人間的興味と真実らしさを我々の内的本性から写すようにするためであって、そのことが詩的信念を構成しているのである[74]。」

超自然的世界の創作こそ、独創的天才が最高に発揮されうる場であるというダフの思想は、強調点こそ違え、コウルリッジに受け継がれていった。しかし、依然として想像力の完全な自由に対して疑いの眼差しを向けた人物がいた。それが、ジェラードから大きな影響を受けたビーティーであった。彼は、ジェラードとの会話やその著作に大いに啓発されたことを告白した後、次のように述べている。「夢や病において、想像力が驚くほど生き生きと働くことがよくある。しかし、それは天才ではない。認識や判断力によって規制されておらず、有用な目的に至ることはないからである。[75]」判断力に規制されない想像力の飛翔は、夢や狂気と変わらないというのが批判の主旨であるが、では、ダフは、天才の想像力の飛翔と夢や狂気とはいかなる点で異なると考えていたのであろうか。

ダフは、『天才論』の第一部では、ビーティーと同様に、この違いを判断力の有無におき、「天才が判断力を少しも分け持たずに空想だけによって特徴づけられるなら、我々は天才の飛翔と狂人の夢想の間を区別する手段はない[76]」と述べているが、想像力の重要性を力説している第二部には、次のような言説が見いだされる。第一に、天才の想像力の飛翔は夢と同じように必ずしも有用な目的に到るわけではないが、偉大で聳え立つ。「想像力の不規則的な偉大さは、高揚した独創的天才の著しい規範である。[77]」「独創的天才のもっとも無法な散策は、鷲の飛翔にも似て、逸脱するものの高く聳える。その道程は、彗星の軌道のように不規則的ではあるが燃えており、その誤りと卓越性とは、等しく真似のできるものではない。[78]」ここに表れているのは、新古典主義が掲げた規則・秩序・調和に真っ向から対立する不規則・逸脱を天才の一つの特質と認める姿勢であり、言い換えるなら、天才は不規則的で逸脱し時には間違いを犯すが、それを補って余りある偉大な所産を生み出す、そこに天才と夢との違いがあるというのである。この間違いを犯す天才という捉え方は、しかしながら、ダフ独自の思想ではなく、その淵源は、ロンギノス伝『崇高について』の一節にある。十八世紀に教科書として使用されたウィリアム・スミス訳（一七三九年）から訳すなら、原文の hupermegetheis に genius が対応させられて、以下のように訳されている。「高く抜きん出た天才（genius）を持った作家は、決して純粋でもないし整然としてもいない。全体がこ綺麗で正確なものはすべて、実につまらなくなってしまいがちだからである。……飛び抜けて偉大で高貴なものは、あらゆる点で一様に完全であることを誇れないとしても、それ自体に内在する荘重さというたった一つの長所さえあれば、栄冠を得るに違いない、というのが私の真意である。[79]」想像の所産は、欠点があってもそれ以上の長所があれば、優れているという思想は、ポープやアディスンにもみられる思想であり[80]、ダフに至って最も声高に唱えられたのであった。

第二に、ダフは、天才の想像の飛翔は狂気と似ているが、病的な狂気とは異なる神的な狂気であるという。「想像力の輝かしい熱気は、確かに（もしこういう表現が許されるなら）詩のまさに魂である。それは〈霊感〉の主要な源である。そして、それを所有している詩人は、デルフォイの巫女のように、一種の〈神的狂気〉で活気づく。[81]」天才の有している想像力は、神的狂気、言い換えれば詩的熱狂に根ざしているというのであるが、神的狂気にせよ詩的熱狂にせよ、こうしたダフの思想は、プラトン以来幾度となく論じられてきた文学的トポス以外のなにものでもない。しかし、詩人が創り出す世界は、夢や単なる狂気の世界ではなく、驚異的な世界、崇高な世界であるという点は、天才概念と崇高概念とが結び付けられている点で注目に値する。「特に崇高は、偉大な天才にふさわしい道であって、天才はそこで散策するのを喜び、そこでしかその力をうまく示すことも、発揮することもできない。そうした天才は、最もはっとさせる対象を常に摑もうと試み、技の優雅な装飾よりも自然の荒涼たる雄大さを見て大いに楽しむ。というのは、前者は喜びの快感しか生まないが、後者は魂を驚嘆とか驚きといった神的な忘我感の中に投げ込む。それが精神を占め充たすと同時に、広大で驚異的なものの観想から必然的に生じるあの威厳ある恐れ、宗教的畏敬の念を吹き込むからである。魂は、そうしたものに没頭することによって、それ自身の威厳と偉大さを感じるまで高められるのである。[82]」最後の一文にはロンギノス伝『崇高について』の影響が如実に表れており、全体的にみても、恐怖や驚きと崇高とを結び付けたバークの影響を読みとることができる。しかし、特に、快感しか生まない「技の優雅な装飾」に対して崇高感を吹き込む「自然の荒涼たる雄大さ」が対比され重視されている点にみられるように、ars と natura の対比が、単に技と自然の対立にとどまらず、雅びな世界と崇高な世界、言い換えれば優美と装飾とをすべて備えた所謂〈美しき自然〉と〈崇高な自然〉の対比として捉えられていることは、自然観の変容を如実に示していると言える。

本章では、独創性の最も発揮される領域としての超自然的な世界をとりあげて、それと想像力や崇高性との関連性について探ってきたわけであるが、ダフは、独創性が最も発揮された時代も想定していた。それが、古代の社会であった。

《独創的天才と古代社会》

ダフによれば、独創的な詩的天才は、未開の社会において最も活発に発揮され、文明社会においてはめったに現れないという。この主張は、間接的には古代人・近代人論争や言語起源論とも関わる議論であるが、ダフの『独創的天才論』と同じ一七六七年に出版されたファーガスンの『市民社会史論』において取り上げられていることからも推測できるように、[83]特に一七六〇年代に頻繁に話題にのぼったテーマであり、その直接的なきっかけとなったのがオシアンの出現(『フィンガル』一七六二年、『タイモーラ』一七六三年)であった。ヒュー・ブレアの『オシアンの詩に関する批評論』(一七六三年)の原型となった『修辞学・文藝講義』の一節にも、同様の古代社会賛美がみられる。その出版年は一七八三年であるが、彼がエディンバラ大学で講義を始めたのは一七五九年であり、講義草稿は恐らく六二年頃にはまとまっていたという。[84]その第四講義の中では次のように述べられている。「初期の時代の世界や、荒々しい未開の社会状態は、崇高という激しい感情にとってとりわけ好ましい。当時の人々の天分は、驚嘆と驚きに向けられる。自分にとって目新しい不可思議な多くの対象と出会うと、彼らの想像力は燃え立ち続け、彼らの情熱は極端なまで高まることも多々ある。彼らは、考え、大胆にかつ遠慮せずに自己表現する。[85]」また、『オシアンの詩に関する批評論』においても、時代が進展するにつれて正確さや科学は進歩するが、想像力は退化するという主張が要となっており、オシアンはその主張を実証する格好の実例となっているが、古代社会と想像力の関係について〈個体発生は系統発生を繰り返す〉に似た主張がなされていることは、注目に値する。「世界の進歩は……一人の人間の発達と似ている。想像力は若い頃は最も溌剌としており支配的であり、悟性の力はかなりゆっくりと熟成し、成長しきらないうちに想像力が衰え始めることもよくある。このことから、想像力の子である詩は、社会の初期の時代に最も輝き生き生きとしていることが多々ある。[86]」

ダフの古代社会における天才についての考え方も、ブレアの見解と大同小異であるが、ダフの場合は、古代社会と独創性との結び付きを強調したところにその特色がある。では、なぜ古代社会のほうが、独創的天才に都合がよいというのであろうか。第一の理由は、天才が観想する対象の新奇性に求められる。真の天才をもった詩人にとって彼自らを取り巻く対象の目新しさは、彼の精神にかなり強い衝撃を与え、独創的所産を生み出させるというのである。「森羅万象とフィクションの全領域は、他の人たちによってまだ探求されたことがないので、彼の検分を受ける。そこから彼は豊富な略奪品を選りすぐり、それによって自分の創作を装飾し独創的なものとする。[87]」無論、この場合、独創性は創意の目新しさに関わるものであって、実質的には新奇性（novelty）に近い。第二の理由は、そうした時代に特有な作法の素朴さと一様性にある。つまり、誰にも一様にみられる似たような作為のない感情表現によって、詩人の「感情は、場合によって情熱的になったり崇高になったりし、また、その描写はエネルギッシュに、彼のスタイルは大胆で高揚し隠喩的になり、しかも全体は、輝かしい空想と燃え立つ心の吐露であるから、完全に自然で独創的となる。[88]」第三の理由は、未開生活に伴う無垢な快楽とともに、その暇と静けさにある。真の天才詩人は、現代社会を悩ませている野心や苛立たしい欲望から解放されており、満ち足りた心で寂しい野辺や海岸やヒースをさまようので、あらゆるものが霊感の源となり、従って、彼の描写は完全に溌剌とし独創的になる。[89]第二と第三の理由は、独創的な創造を生み出す心の状態に関わる。第四の理由は、未開の社会が批評の規則と抑制から逃れていること、書物から習得される知識を欠いていることにある。「書物、つまり他人の観念に由来する観念は、いかなる詩的な化学作用（poetical chymistry）のプロセスを通じても、完全な独創性を授与することはできない。精神の完全な創造物、つまり詩人自身の観察の結果であり自然から直接引き出された結果である観念こそ、適切な語義において、唯一独創的なものなのである。[90]」「かなり初期の時代の社会に生きている詩人は、彼のモデルとすべき先行する詩人をほとんどもたないので、模倣に欺かれる危険はほとんどないが、現代ではそれから逃れることは実に難しい。[91]」

総じて言えば、古代社会における新奇性や素朴さや無垢性や知識に毒されていないことなどが、独創的天才の開花にとって好ましいというのであるが、裏を返せば、それらはダフの時代には失われつつあると感じられていたものでもあった。こうした産業革命の激動期において、オシアンなどの人気によってもたらされた古代の無垢さや素朴さへの信仰に支えられた独創性神話は、その時代に強烈にアピールしたのである。

結び

十八世紀の天才論も、天才を霊感に帰するか、技に帰するかの間で揺れ動いたことは確かである。しかし、ジェラードの場合は、天才の能力を観念連合心理学の視点から疑似科学的に明らかにしようと試み、天才を想像力と趣味能力との幸福な調和に基づくものと捉え、また、ダフの場合は、超自然的世界の創作の意義を強調するとともに、他方、天才の独創性が十全に開花した時代としての古代社会を挙げることによって歴史的意識を天才論の中に持ち込んだ。このように十八世紀に芽生えた科学的意識や歴史的意識を取り込みながら、想像力の役割の重要性を喧伝《けんでん》した点で、ジェラードとダフの天才論は、確実に、ロマン主義の天才論の到来を予告しているのである。

注

（1）Horatius, *Ars poetica*, *l.* 408.
（2）J. Addison, *The Spectator*, no. 160, 1711.
（3）Edward Young, *Conjectures on Original Composition*, 1759, Longmans, 1918, p. 15.
（4）Sir Joshua Reynolds, *Discourses on Art*, R. R. Wark (ed.), Yale U. P., 1975, p. 96. レノルズは、才能の先天性を否定したわけではなかった。レノルズの『講話集』第六講話のカルロ・マラッティに関する論述を参照。

(5) ibid., pp. 97-98.

(6) ibid., p. 98.

(7) ibid., p. 99.

(8) William Jackson, *The Four Ages; together with Essays on Various Subjects*, London, 1798, Garland Publishing, 1970, p. 192.

(9) ibid., p. 196.

(10) Bernhard Fabian, Introduction to "Alexander Gerard; *An Essay on Genius*"(*EG*. と略), 1774, Wilhelm Fink, 1966, p. xii.

(11) A. Gerard, *An Essay on Taste*(*ET*. と略), 1759, W. J. Hipple Jr.(ed.), Scholars' Facsimiles & Reprints, 1963.

(12) *EG*., p. 10.

(13) ibid., p. 418.

(14) ibid., p. 77.

(15) 修辞学の基本的分野としては、inventio, compositio, elocutio [expressio], memoria, pronuntiatio の五つがあったが、修辞学が弁論ではなく書かれたものに関わるようになるにつれて、memoria と pronuntiatio は消え去っていった。

(16) *EG*., p. 62.

(17) ibid., p. 8.

(18) ibid., p. 27.

(19) cf. Giorgio Tonnelli, *Dictionary of the History of Ideas*, Vol. III, Philip P.Wiener(ed.), Charles Scribner's Sons,

1973, p. 293.

(20) ロラン・バルト『旧修辞学』沢崎浩平訳、みすず書房、一九七九年、八三頁。

(21) Fabian, op.cit., p. xxxix.

(22) Roland Mortier, *L'originalité*, Librairie Droz S. A., 1982, p. 68.

(23) cf. *EG*., p. 27.

(24) ibid., p. 32.

(25) ibid., p. 28.

(26) David Hume, *THN*., pp. 85-86.

(27) 判断力に関する捉え方においては、ヒュームとは異なっている。cf. Walter J. Hipple Jr., *The Beautiful, The Sublime, and The Picturesque in Eighteenth-Century British Aesthetic Theory*, The Southern Illinois U. P., 1957, p. 79.

(28) cf. *EG*., pp.250, 265-6ならびに*ET*., p. 152.

(29) ibid., p. 98.

(30) ibid., p. 101.

(31) ibid., p. 30.

(32) cf. ibid., pp. 29, 49.

(33) ibid., p. 54.

(34) Donald F. Bond, "Distrust" of Imagination, *Philological Quarterly* 14, 1935, p. 55.

(35) ジェラードは、藝術における天才と科学における天才の異同について詳細に論じている。前者には情念が関与する点、特殊な判断力（つまり趣味判断）が介在する点、後者には記憶力が大きく関与する点などがあげられるが、共に想像力と不可分な関係を有する。但し、前者には想像力の輝きが、後者には（想像力が多く関わっている）洞察力が求められるという。
(36) ibid., pp. 109, 118. ヒュームにおける観念連合の法則は、隣接性、類似性、因果性の三つである。
(37) *ET.*, p. 163.
(38) *EG.*, pp. 75-76.
(39) ibid., p. 88.
(40) ibid., p. 37.
(41) ibid., p. 377.
(42) ibid., p. 393.
(43) ibid., p. 378.
(44) ibid., p. 65.
(45) ibid., p. 59.
(46) ibid., p. 393.
(47) ibid., p. 82.
(48) ibid., p. 68.
(49) ibid., p. 394.
(50) *EG.*, p. 63.
(51) *ET.*, p. 165.

(52) *EG*., pp. 416-17.
(53) ibid., p. 23.
(54) ibid., pp. 98-99.
(55) ibid., p. 419.
(56) ibid., p. 420.
(57) ibid., p. 421.（傍点筆者）
(58) この主張は、Horatius, *Ars poetica, l*. 102「もしあなたが私に涙を流させたいのなら、まず自分自身で悲しまねばなりません」という言葉に由来する。当時、この主張はイギリスでもかなりよく知られており、例えばハードによる *ars poetica* の詳しい注釈書も出版されていた。cf. R. Hurd, "Epistola ad Pisones: With an English Commentary and Notes", 1749, in *The Works*, vol.1, London, 1811, pp. 116-7. ホラティウスのこの言葉が、ルネサンス以降の文学・絵画における感情表現論の典拠となったいきさつについては、R. W. Lee, *Ut pictura poesis*, Norton, 1967, pp. 23-32 参照。
(59) William Duff, *An Essay on Original Genius*（*EOG*. と略）, 1767, John L. Mahoney (ed.), Scholars' Facsimiles & Reprints, 1964.
(60) フランス語の original という単語の意味についてはRoland Mortier, op. cit., pp. 31-37 参照。
(61) Jonathan Richardson, *An Essay on the Whole Art of Criticism*, 1719, Georg Olms, 1969, pp. 223-24.
(62) ibid., p. 224.
(63) *OED* の original の項目。
(64) 当時の経験論においても original という語は、「初源的・最初の」といった意味でよく使われた。例えば、ヒュームの『人間本性論』第二巻の冒頭においては、オリジナルな印象とは、感覚印象や身体の快苦の印象のように、直接的に精神において生じるものであるのに対して、二次的な印象とはオリジナルな印象から生じるものであって、情念や感情などを指している。

(65) *EOG.*, p. 87.
(66) ibid., p. 86.
(67) ibid., pp. 149-50.
(68) ibid., pp. 135-36 note.
(69) ibid., p. 143.
(70) ibid., p. 140.
(71) W. Duff, *Critical Observations on the Writings of the most Celebrated Original Geniuses in Poetry*, London, 1770, Garland, 1971, pp. 93-101.
(72) cf. Elizabeth L. Mann, The Problem of Originality in English Literary Criticism, 1750-1800, *Philological Quarterly*, 18, 1939, p. 99 note.
(73) Duff, op.cit., p. 97.
(74) Samuel T. Coleridge, *Biographia Literaria*, 1817, J. M. Dent & Sons, 1967, pp. 168-69.
(75) James Beattie, *Dissertations Moral and Critical*, 1783, in *The Philosophical and Critical Works*, II, Georg Olms, 1974, p. 147.
(76) *EOG.*, p. 24.
(77) ibid., p. 167.

（78）ibid., pp. 167-8.
（79）Dionysius Longinus, *On the Sublime*, William Smith (tr.), London, 1739, Scholars' Facsimiles & Reprints, 1975, pp. 78-80.
（80）cf. Samuel H. Monk, *The Sublime; A Study of Critical Theories in XVIII-Century England*, 1935, The University of Michigan Press, 1960, pp. 15-17.
（81）*EOG*., pp. 171-72.
（82）ibid., pp. 150-52.
（83）Adam Ferguson, *An Essay on the History of Civil Society*, Edinburgh, 1767, Garland, 1971, pp. 265-66.
（84）cf. Monk, op.cit., p.120.
（85）Hugh Blair, *Lectures on Rhetoric and Belles Lettres*, 1783, London, 1812, p. 69.
（86）Hugh Blair, *A Critical Dissertation on the Poems of Ossian, the Son of Fingal*, London, 1763, ^{2}1765, p. 4.
（87）*EOG*., pp. 265-66.
（88）ibid., p. 270.
（89）ibid., p. 272.
（90）ibid., pp. 275-76.
（91）ibid., p. 280.

第九章　ut pictura poesis から ut musica poesis へ

――イギリスの諸藝術比較論における〈描写〉と〈表現〉をめぐって――

序

十八世紀のイギリスでは、画家でありかつ詩人である人物が数多く活躍した。そしてまた、理論面においても、部分的に論じられたものを含めるなら、数多くの姉妹藝術論（詩画論）が公表された。最初に確認しておきたいのは、「詩は絵のごとく」の伝統の中で、十七〜十八世紀には、この詩とは一体いかなるジャンルの詩を指していたのか、という点である。英語で書かれた初期の姉妹藝術論の一つとして、フレノアの絵画論の英訳に付けられた、ドライデンによる『詩と絵画の比較論』（一六九五年）がある。それは、フレノアに拠りながら論述を進めている点で、内容には独自性はあまりないというメイソンやセインツベリの見解はあるとしても、英語で書かれた姉妹藝術論として後世にも読まれ続けた。[1] その中で、ドライデンは、詩と絵画の類縁性について、絵画は叙事詩よりも劇詩と類縁性をもっていると述べ、以下の点を挙げている。第一に、悲劇も絵画も、ホメロスやウェルギリウスの叙事詩のエピソードから作られる点。第二に、悲劇は、叙事詩よりも、時と場所の制限を受ける点で、絵画に近いこと。第三に、悲劇も絵画も、その主題の性格が高貴である点、等々。[2] 当時、絵画と詩の関連性について語られる時、絵画と劇詩（特に悲劇）との関連性が最も重視されていたのである。

しかし、この詩のジャンルの問題は、後の藝術思想において、かなり重要な意味をもつようになる。例えば、ヒルデブラント・ジェイコブは、『姉妹藝術について』（一七三四年）の中で、詩は音楽よりも絵画に近いとしながらも、劇詩や田園詩は絵画に近く、抒情詩は音楽に近いと述べている[3]。ジェイコブの指摘する、劇詩や特に田園詩と絵画との結びつき、そして抒情詩と音楽との結びつきは、実際に、十八世紀イギリスの前半と後半の藝術論の中で、かなり重要な意味をもつようになるのである。

さらにまた、自然詩や風景画の流行にみられるように、新たな自然概念の登場とともに、詩が自然と、また、絵画が自然と強く結びつき始めた点も注目に値する。前者に関して言うなら、テオクリトスや特にウェルギリウスの『牧歌』や『農耕詩』に描写された古典の伝統に根差した理想的風景描写、クルツィウスの言う「理想的景観」に対して、この頃、自然を直接体験しそれをありのままに描写した自然詩が人気を博するようになる。例えば、エイミ・L・リードは、当時の詩における自然描写の手法を三つにまとめている。第一に、牧歌あるいは友人の死を悼む哀歌の冒頭や末尾の自然描写。しかし、これは実在の風景ではなく、古典的伝統に則った自然描写であった。第二に、当時の悲劇の中の抒情的一節にみられる自然描写。第三に、十八世紀における現実の風景描写につらなる自然描写[4]。特に一七二五年頃のスコットランドでは、自然を直接観察した結果書かれた自然詩に対する関心が高まっていたが、そうした自然詩の流行に拍車をかけた詩が、一七二六年に出版されたジェイムズ・トムソンの『冬』であり、その成功によって、トムソンは、一七三〇年に『四季』を出版し、以後何度も加筆し続けたのである。後にジョウジフ・ウォートンは、「トムソンの『四季』は、自然や風景の美しさに対する広範な趣味を広めるのに実に役立った[5]」と述べ、それに注を付けて、「この数年間に我々の郷土、湖、山、滝、洞窟、城などのピクチャレスクな景色を探訪し描写することが行われてきた」と記している。ベイトソン編の『英文学文献目録』によると、十八世紀に限っても、トムソンの『四季』の仏訳は三種類、独訳は八種類に及ぶことをみても、[6] この詩の汎ヨーロッパ的な人気がうかがわれる。十八世紀には、トムソンの『四季』等は代表的な描写詩（descriptive poetry）とみなされ、自然美愛好熱の火付け役となり、風景やピクチャレスクへの関心を煽り立てたのである。

描写性とは、後にアリストテレスの『詩学』の翻訳者として名を馳せたトマス・トワイニングによって「描写的摸倣」という名称が与えられていることからも窺えるように、[7] 摸倣の一形態と言えるものであるが、十八世紀において、詩と絵画を結びつける重要な契機とみなされていたことは、『セント・ジェームズ・ジャーナル』（一七二三年）の次のような一節にも窺える。「詩が絵画の姉妹藝術であると言われるのは、まさに描写性が絵画に似ているからに他ならない。[8]」そしてまた、当時描写性への関心が高まりつつあったことは、作品や詩人に対して描写的（descriptive）という形容詞が使われるようになったことからも推測できる。***OED*** は、ジョンソン博士の『ランブラー』の一七五一年の用例を descriptive の初出としているが、この単語は同じ年のリチャード・ハードの論考にも使われているし、また、一七五四年のヒュームのジョゼフ・スペンス宛の書簡の中でも用いられている。

しかし、描写性に対しては、当時、全く相反する二つの評価が下されていた。一方において、言葉の絵画的描写性が高く評価されていたが、他方において、バークに代表されるように、言葉の描写性が正確性においては絵に劣るとされ、絵画と言語の描写性の違いが比較検討され続けたのである。本稿の目的は、これら二つの議論を順次とりあげ、描写性に代わって表現が徐々に重視されるようになった経緯を辿ることにある。

一　描写の諸相

十八世紀における描写性についての議論に関して参考になるのが、リチャード・ハードの『詩的模倣論』（一七五一年）である。その中で、ハードは、詩的模倣の対象を「絵になる主題もしくは模倣の主題」と呼び、三種類の描写対象をあげている。第一に挙げられるのが、①物質世界、つまり、この宇宙を組み立てている広大な有形の構成物である。ハードは、「物質的な宇宙、あるいは画家が静物（still life）と呼んでいるものが、我々が描写的と呼んでいる類の詩的摸倣の対象なのである」と述べている。[9]しかし、「目に見える外的な美しさをもったこの広大な劇場」から心の内部で起こることに注意を転じるなら、「目に見えない知性的な新しい世界」が即座に発見される、とハードは言う。それが、②精神内部の働きや動きである。ハードは、こうした人間の内面性の描写として、心の騒擾や無秩序を表すような情念と、それよりも穏やかな感情や思索を生み出す、静かな状態とをあげ、後者には我々の習俗（manners）も含まれるという。[10]第三の描写対象は、③そうした内的な作用が、感覚的な対象となって外に現れた徴としての、身振りや態度や行為である。

これら三つの区分は、一般的な日本語で言うなら、①自然描写や対象描写、②性格描写や感情描写、③人物描写にほぼ対応するであろうが、恐らく、①は、弁論術で言われていた topography や chronography 等、②は ethopoeia、③は prosopography といった概念と関わるものであろう。

ところで、この時代に重視されたのは、そうした対象をいかに描写するか、つまり、ある種の描写の在り方であった。その一例として、ハードが「詩の絵画（painting in poetry）」と呼んでいるシェイクスピアによる「朝の描写」の例をみておきたい。

見てごらん。光線が向こうの
東のちぎれ雲に縞模様をつけているのを。
夜の灯火は消え失せ、喜ばしい昼の光が
朝靄けむる山の頂に爪先立っている。

これは、ロミオが朝の別れの場面でジュリエットに語る言葉であるが、ハードは、この最後の一句によって、立ち去り難いがもう一刻の猶予もないといった、居ても立ってもいられないロミオの様子が我々の眼前に描写される、と述べている。「眺められた形のどんな事細かな特徴や輪郭も、それに対応する痕跡を［詩人の］空想に残す。そして、自分の心の中にこうしたまばゆいくっきりとした事物の想念を抱きながら、詩人は、難なくその最も生き生きとした観念を他の人たちに伝える。これが詩の「絵画」と我々が呼んでいるものなのである。これによって、事物の一般的な本性が描写され、そのひときわ明瞭な外観が現れるだけでなく、たった一つのどんな特性も際立ち、詩人自身の抱いたイメージは、読者の目の前にくっきりと浮かび上がる。[11]」ここでハードは、朝の太陽が山頂に爪先立っている具体的なイメージを実際に連想させるか否かを問題にしているというより、修辞的な色彩をおびたイメージによってその場の状況を読者に強くありありと印象づける描写の精彩さを称賛しているのである。ブレアが「詩的な描写」と呼び、オウグルヴィが「生き生きとしたピクチャレスクな描写」と呼んでいる、対象を眼前に彷彿《ほうふつ》させる生き生きとした描写が、十八世紀中葉のイギリスでは、絵に喩えられ、賛辞の的になったのである。

しかし、ここで注目しておきたいのは、こうした絵画的な描写は、弁論術のἐνάργεια（enargeia）の概念と深い関わりを有しており、「詩は絵画のごとく」の伝統とも関わっていた、という事実である。そして、このἐνάργειαの概念をイギリスの藝術論において原典を示しつつ紹介した最初の人物は、フランチスクス・ユーニウスであった。彼は、一五八九年にハイデルベルクで生まれ、一六二一年にイギリスに移り住んでから以後三〇年間、トマス・ハワード家の司書兼家庭教師として生計をたてるかたわら、アングロ・サクソン語や古典古代の研究に没頭し、一六三七年に『古代の絵画について（*De pictura veterum*）』を出版、翌年には自らの手による英訳 *The Painting of the Ancients* を出版している。この絵画論は、ギリシア・ラテンの古典からの引用もしくは言い換えで埋め尽くされた書であり、特にキケロ、パウサニアス、プリニウス、プルタルコス、クインティリアーヌス等の引用が目立っている。

例えば、ユーニウスは、第一巻第四章では、プルタルコスを引用して、姉妹藝術論の標語とも言うべきシモニデスの言葉「絵画は黙せる詩、詩は語る絵画」を紹介した後、「自分の語りをあたかも絵のようにするほどの力強い修辞的な比喩や生き生きとした色彩をもって飾れる者こそ、真実の歴史家なのである」と述べている。[12]プルタルコスの原文では、この後、ツゥキュディデスがἐνάργειαを得ようとしたのは、読者を観客に変えようとしたからである、という文が続くのであるが、ユーニウスの原文では、この部分は省略されている。

また、英語版第三巻第四章では、描写の生動性を可能とするのが生き生きとした想像力であるとして、クインティリアーヌスを引用して、次のように語っている。「想像（phantasie）は、不在の事物のイメージを、あたかも我々がその身近にいて眼前に見ているかのごとく、我々の心に描き出す。」そして、この試みに仕えるのがギリシア語でenergiaと呼ばれている力であり、キケロは、これをEvidenceとPerspicuitieと呼んでいるが、この力は、状況全体を見せてくれるように思われるし、さらに、我々がまるで想像した事物の現場に居合わせているかのごとく、そうした生き生きとした再現に伴って感情を生じさせる、と述べている。[13]
ラテン語による一六三七年版では、この部分はクインティリアーヌスの原文となっており、両者を比較してみると、ἐνάργεια は Energia、また、illustratio et evidentia は Evidence and Perspicuitie に対応する。オールドリッチ等の註釈によると、ユーニウスが energia という語を用いたのは、英語で新しい単語を作るのを避けたか、あるいは、単に転写に際して間違ったのか、のいずれかであるというが、しかし、英語の energy という単語に本来こうした意味があったことは注目しておいてよい。この点は、*OED* の最初にあげられている意味が、1－a「弁論や著作に関連した、言い回しの力や活気」であり、それに続けて「この意味は活動しているものや動いているものの心象を呼び起こす類の隠喩に対して用いられている、アリストテレス（『弁論術』Ⅲ－xi）の energeia の不完全な理解に由来するものである」と指摘されていることからも分かる。
バトラーによれば、この引用で語られている、キケロが ἐνάργεια について語っている箇所は、de partitione oratoria, vi, 20 であり、[14] そこでは、illustratio は、dilucidus と対比されて、「一方は、我々に理解させ、他方は、実際に、我々に見ているように思わせる」と語られているが、クインティリアーヌスにあっても、先の引用の他に、『弁論術教程』第八巻第三章でも、事実が語られることと、事実が心眼に示されることとの違いについて論じられている。
こうした描写性についての比喩は、十七～十八世紀の藝術論の随所で、言わばトポスとして語り続けられた。ピーター・ディクソンによれば、「語る藝術家」と「見せる藝術家」の対比は、当時かなり知られていたという。[15] 例えば、ドライデンの『驚異の年』の序文にも、次のような一節がある。すなわち、詩人の才知

（wit）とは、作家の想像力に他ならないが、そういった「……才知は、言葉の彩りによって飾られた、生き生きとした適切な描写であって、その場にはないものを、実際よりも完全に喜ばしく、眼前に呈示する。[16]」また、ナティヴァルによると、ユーニウスは、イギリスの思想家のみならず、十七世紀後半のフランスの藝術批評家にも読まれていた。例えば、フレアール・ド・シャンブレは、ユーニウスを『絵画の完全性の観念』（一六六二年）の最も重要な典拠と認め、ロジェ・ド・ピールは、『フレノアの絵画論』（一六六八年）を執筆する際にユーニウスを参照し、さらに、ルーベンスやヴァン・ダイクも彼を熱狂して受け入れたという。[17]

さらに、十八世紀のデュボスもユーニウスを読んでいたことは、「私が行った類いの比較は、息子の方のデュ・ジョンの古代絵画についての学識にとむ書物にみられる絵画と詩との比較ほど、十分な学殖をそなえてはいない。しかし、私の考察はこの作者の学殖よりも事実においてまさると考えている[18]」という一節からも窺われる。デュボスが息子の方のデュ・ジョンと呼んでいるのは、ユーニウスがDu Jonと表記されているからであり、また、神学者の父親と混同されることも多々あったからである。デュボスにも、描写の生動性についての記述は数多いが、ここでは、一ヵ所のみ引用しておくことにする。「人々の心を動かしかれらを好むところへひき寄せる技術は、主としてこれら心像を上手に使うところに成りたつ。もっとも厳しい作家、われわれを説得するのに理性を飾らずつかうことだけを何より真剣な仕事としている人は、われわれを説き伏せるのには感動させねばならないと、すぐに感じるのである。そしてわれわれの心を動かすのには、彼が語る事物を描写して「われわれの」眼前におかねばならないことも。[19]」デュボスのこの著作はフランス思想の翻訳家としても活躍したトマス・ニュージェントによって一七四八年に英訳されたが、描写の生動性は、イギリスでは、この頃よく語られるようになる。しかしながら、ここで、誤解されないように断っておくなら、我々は、クインティリアーヌスやユーニウスが後代に直接的な影響を与えたと言っているわけではない。例えば、ロンギノス伝『崇高について』の中では数度 ἐνάργεια という語が使用されているが、それが典拠として引き合いに出されている場合もあるからである。例えば、レッシングは『ラオコーン』の中で、詩的絵画という用語の曖昧性を指摘し、それに註釈をつけて次のように語っている。「ロンギノスを読めば思いあたるように、我々が詩的絵画と呼んでいるものを古代の人は想像と呼んだ。そして、我々がイリュージョン、詩的絵画の眩惑性と呼んでいるものは、Enargie《ママ》と呼ばれていた。[20]」要するに、十八世紀に頻繁に言及される詩の絵画的な描写とは、弁論術の直接的・間接的な影響のもとに語られ続けた概念だったのである。

但し、古典の思想と十八世紀の思想とでは、その主張に一つの違いがある。すなわち、プルタルコスは、歴史記述の生動性について語っていたとはいっても、その時代は音読することが習慣であったし、また、弁論術における ἐνάργεια は、本来、弁論家が想像力によってイメージをありありと思い描き、それを音声言語によって聴衆に伝えるところに成立するものであったのに対して、十八世紀の思想家が注目したのは、文字言語が喚起する視覚的イメージの生動性であった。にもかかわらず、文字言語のもたらす描写の迫真性や臨場感が、「語る」のではなく「示す」のであるとか、「読者を観客にしてしまう」といった、弁論術に由来する喩えによって語られたのである。

例えば、ジョウジフ・ウォートンは、「言語の用途、力、卓越性は、明晰で完全で状況を示すイメージを喚起し、読者を観客に変えてしまうことにあることは確かである」と語り[21]、また、ヘンリー・ヒュームは、「言語の力は、完全なイメージを喚起することにあるが、それが実現されるのは、読者が、自分自身を忘れてあたかも魔術によってであるかのように重要な行為の行われるまさにその場その時にトランスポートされ、言わば、実際の観客となって、生起するどんなことも見守るようになってからである」と語り、さらに「天分をもった作家は、目は心に至る最良の道であることに気づき、どんなものも眼前で起こっているように描き、我々を、言わば読者や聴衆から観客へと変えてしまう。巧みな作家は、自分をひた隠し、登場人物を現にあらしめる」と述べている。[22] こうした描写に秀でた詩人こそ天才とみなされた点には、当時の天才論との深い結びつきが認められるが、そのような描写の中でも、特に、現実に存在しないものの描写は、独創的な才能を示すものとして賛美された。例えば、ヒュー・ブレアは、『オシアン』を高く評価したが、なかでも幽霊の描写を絶賛している。「独創的な天才詩人は、常に描写の才が際立っている。……真の詩人は、我々に目の前に［対象］を見ていると想像させる。……この素晴らしい才は、生き生きとした想像力による。」オシアンは、この描写力が傑出していたので、幽霊の姿形を描くことができると我々に思わせてしまうほどである。「一言で言うなら、オシアンを読んでいる間、我々は新たな領域に連れ込まれ、その対象がまるで実在しているかのごとく、その間に住まうことになる。[23]」

二　外界の描写と内面の描写

言葉による描写性は、十八世紀を通じて、常に関心の的であり続けたが、同時に、疑問視され続けた問題でもあった。若い頃、当時有名だったジョン・リリー（John Riley）のもとで修業した肖像画家ジョナサン・リチャードスンは、一七一九年に『絵画批評術論』を出版した。レノルズは、少年の頃、彼の著作を読み漁って、藝術の道に進み、ラファエロに匹敵する画家になろうと決心したという逸話からも、リチャードスンの絵画論は歴史に名をとどめている。リチャードスンが晩年の一七三四年に彼の息子と共に執筆した『ミルトンの失楽園に関する註解』の索引には、『失楽園』の言わば絵になる五〇ヵ所近くもの名場面が、絵(Pictures)という項目のもとに列挙されているが(24)、この一例にも、詩的表現と絵画的表現との関わりが、終生彼の関心を捉えていたことがうかがわれる。

しかしながら、その絵画論の中で、彼は、絵画と詩の違いに注目し、言葉の不完全性について次のように語っている。「言葉は想像力に対して絵画的映像を与える(Words paint to the imagination)が、誰もが自分なりに事物を思い描く。つまり、言語は実に不完全なのである。無数の色彩や姿形には名称が与えられておらず、それ以外の無限の観念にしても、それを指示するものとして普遍的に一致している単語などない。(25)」言葉が想起させる心象は、人によって全く異なっており、しかも、言語化されない現象が世の中には数多くある。従って、事物を描く点では、絵画のほうが詩よりも優れている、というのである

言葉の描写の不正確性については、古来多々論じられてきたが、リチャードスンの主張は、直接的には、その数年前にアディスンが次のように語っていたことを念頭においていたことは十分に考えられる。「(言葉による)描写は、絵画よりも、再現対象からかけ離れている。なぜなら、絵は現物と実際に類似性をもっているが、文字やシラブルにはその類似性は全くないからである。」しかしながら、絵画を詩よりも優位に置くリチャードスンとは異なり、言わば文学派であったアディスンは、その後で、「言葉はうまく選びさえすれば実に大きな力をもつので、描写は事物自体を実際に見ることによってよりもずっと溌剌とした観念を我々に与えてくれることがよくある。読者は、言葉で描写された景色を実際に見ることによってよりも、想像の中で、ある景色が言葉の助けによってずっと色彩が鮮やかに、生き生きと描かれることに気づく(26)」と語っている。詩は目に訴えかけるといっても、それは比喩的な言い方にすぎないのであり、実際の視覚に映

じる風景よりも、詩が想像力に思い描かせる風景の方がはるかにあざやかな場合がある、というのである。この論考は、『スペクテイター』の所謂「想像の喜び」を扱ったものに含まれており、文学には絵画と違った「想像の喜び」があるという主旨で書かれている。

しかし、ここで、本来の姉妹藝術論とは異なる領域で、絵画と言葉の相違についての関心が高まりつつあったことを指摘しておきたい。すなわち、エジプトの聖刻文字《ヒエログリフィクス》は、十七世紀においてもアタナシウス・キルヒャー等の関心を引きつけていたが、十八世紀のイギリスにおいても関心の的になりつつあった。例えば、ウィリアム・ウォーバートンは、全九巻からなる『モーゼの神託』（一七三八―四四年）の第四巻で、聖刻文字や書記法について考察している。

ウォーバートンは、人間が自分の考えを伝達するのには、音によるものと図像によるものの二つの方法があったが、人間が自分の考えを永続化し遠くの人と交信を行うようになったのは、図像によってなのであるとして、絵画的文字の三つの段階について述べている。その最初の方法は、絵によるものであり、それを発達させたのがメキシコ人であった。しかし、それには多くの労力が必要だったので、絵を簡略化する方法がエジプト人によって考え出された。つまり、メキシコでは文字は単純な絵であったのに対して、エジプトでは絵画的記号が考えだされたのであるが、しかし、聖刻文字は数がわずかしかなかったために不明瞭な部分が多く、恣意的な記号による書記法が考案された。それが中国の漢字だというのである。「かくして、我々は絵から文字への書記法の一般的な歴史を、漸進的で無理のない繋がりとして見てきた。というのは、（ちょうど聖刻文字がメキシコの絵とも漢字とも共有する部分があるのと同じように）漢字は一方でエジプトの聖刻文字にも属し、他方アルファベットにも属しており、まさに文字の境界線上にあるからである。事物ではなく音を表すために考案されたアルファベットは、実に多量の恣意的な符号の集成にすぎない。(27)」このように、ウォーバートンは、文字が、絵画に近いものからアルファベットに近いものへと移っていったことを論証しようとしたのであったが、この第四巻に述べられた文字の歴史的起源論は、レオナール・デ・マルペーヌによって『エジプト聖刻文字論』（一七四四年）としてフランス語に訳され[28]、コンディヤックの『人間認識起源論』（一七四六年）やルソーの『言語起源論』などのエクリチュールの章に取り入れられていることからみても、その影響関係は明らかである[29]。

さらにまた、この頃、言語学の領域において、絵と文字との違いについての関心が高まっていたことも、注目に値する。例えば、シャフツベリの甥であり、当時古典の知識において抜きんでていたと言われていた文法学者ジェームズ・ハリスは、『三つの論考』（一七四四年）の「音楽と絵画と詩に関する論考」の中で、言葉の自然模倣性の不完全性を指摘して、「言葉の描写は、幾つかの観念と自然的な関係をもっていることはめったにない。そうした言葉は観念の象徴なのである。それ故、その言語を話す人たち以外の誰も、その描写を理解できない。反対に、音楽的模倣や絵画的模倣は、万人に理解可能である」と述べ、言葉の非摸倣性を強調している。こうしたハリスの主張にさしたる新鮮味があるわけではないが、しかしながら、主題によっては、絵画に適したものと詩に適したものとがあるという彼の指摘には、傾聴すべき点がある。すなわち、絵画に適した主題とは、色と姿形と姿勢によって特徴づけられる主題である。他方、詩は、そうした主題を模倣する場合、ある特定の瞬間の事件に伴う事細かな多様な状況を理解させようとすると、ある程度詳細に語らねばならないが、そのために詩は「退屈になる結果、明瞭になる」か、あるいは、「退屈ではないとしても、曖昧になるか」のジレンマに陥るという。それに対して、絵画に適していない主題としては、行為があげられる。それは持続に属しているからである。また、人間の内面性を顕にし、「性格・習俗・情念・感情」に洞察を与えるような主題も、絵画に適していない。それに対して、「実人生における感情は、人の発話によってのみ知られる」のであるから、言葉は、こうした人間の内面的な感情や性格を描くのに適している。[30]

ここにおいて問題となっているのは、描写対象（主題）と藝術のジャンルの関係なのであり、先に描写対象としてあげたハードの三つの分類に当てはめて整理し直すなら、以下のようにまとめられる。

①「物質世界」の描写は、絵画に適しているが、詩には適していない。

②「情念・感情・習俗」の描写は、絵画に適していないが、詩には適している。

③「内的な作用が外に表れたもの」の描写の中でも、行為は持続に属するので、絵画には適していない。ハード自身も、『詩的模倣論』の中で、詩が精神内部までも描きだせる点に注目し、次のように語っている。「絵画は、周知のごとく、物質的世界を表現できる。そして、後に見るように、知覚できる徴と象徴によって魂の内的な動きをありありと示すことができる。しかし、精神自体を描き、心の奥底までも我々に明らかにするのは、詩だけである。[31]」激しい情念のように、表情や行為に表れるものであるなら絵に描くこともできようが、しかし、心の奥底に宿り、決して表だっては外に現れない様々な精神の特質は、詩以外の表現手段によっては描ききれないというのである。

さらに、藝術のジャンルによっては、直接的に描写してはならない情念もある。この点について、チャールズ・ラモットは、当時の姉妹藝術論の一つである『詩画論』の中で、レッシングを思わせる語り口で、次のように語っている。特に肖像画家、そして彫刻家も同様に、激怒、嫉妬、怒り、復讐心などの邪悪な情念を描いてはならないが、その理由は、彼らには、美を際立たせ、できる限り欠点を隠すことが求められるからである。それに対して、文学の特質は、絵に描いてはならないものまでも描きだす点にある。「作家は、まさに心の奥底に下りて、心の中を探り、精神の最も隠された場の中まで分け入らねばならない。彼は、最も輝かしい情緒や傾向性を示すだけでなく、描かれる人物のあらゆる欠点や邪悪、もろさ、くだらなさ、軽率さを明らかにしなくてはならない[32]。」

要するに、絵画と詩のメディア（つまり、絵と文字）の違いが注目されつつあった時代にあって、ハリスやハードは、絵画は外界の描写に向いており、詩は人間の内面の描写に向いていると主張したのである。後に、バークが、『崇高と美の観念の起源論』の第五部で、「現実に、詩や弁論は、正確な描写においては絵画ほど成功しない」と語り、詩と絵画の描写性の違いに着目したのも、彼らの主張と同一線上にある思想の表明だったのであり、それはまた、姉妹藝術論を根底から揺るがす反逆の芽生えとしてレッシングに受け継がれる思想の表明だったのである。

三　表現の諸相

詩は、外界の描写よりも、内面の描写に適しているとしても、人間の内面性をいかに描くかは、十八世紀以前の絵画論においても大きな問題であった。

例えば、ドライデンは、『詩と絵画の比較論』の中で、「心に居座る情念を、外的な徴によって表現する（express）ことは、画家の大きな指針であるが、実行するのは実に難しい。詩において、心のまさに情念や動きが表現されなければならないが、ここにこの藝術の卓越性のみならず、主要な難しさがある」と述べ、それに続けて、「情念においては、我々は実際に情念に捉えられた人物の特性を大いに顧慮しなくてはない」というフレノアの言葉を引用した後、勝利の知らせを聞いた君主の喜びは、愛人から手紙を受け取ったアルルカンの歓喜のように表現してはならないと語っている。[33] 同様に、ジョナサン・リチャードスンも、「情念や感情の表現は、いかなるものであれ、それによって動かされる人物の性格に関わるように行われねばならない」と述べ、マリアに表れた悲しみを見事に表現したものとして、ポリドーロ（一四九二〜一五四三）のマリア像に賛辞を送っている。「彼女の付き人はあふれでる情念と悲しみを顔に顕にしているが、マリアの顔は両手でもった衣服によって隠されている。人物全体には落ち着きと静けさがあり、いかなる叫びも怒りも彼女には表れず、偉大な威厳が表れているのも、彼女の性格に相応しい。[34]」同じ感情の表現でも、君主とアルルカン、マリアとその付き人とでは、全く異なるというのであり、描写対象の性格《エートス》に応じた情念《パトス》の表現が、賛辞の根拠となっているのである。

　しかしながら、情念を表現する（express）という言い方がされているとしても、ここで問題となっているのは、絵画に登場する人物の内面をいかに描写するかであった。それに対して、所謂近代的な意味での表現概念の成立について論じようとするなら、作品に登場する人物の情念や性格が問題になる場面ではなく、作家や画家自身の情念や性格が問題になる場面に注目しなくてはならないであろう。しかしながら、この登場人物の感情描写の問題自体にも、創作家の感情が問われる場面が潜んでいたのであり、しかもそれは弁論術の ἐνάργεια の理論と密接に関連していた。

　例えば、ユーニウスが『古代の絵画について』の中で、描写の生動性をもちだす議論のきっかけとなったのが、クインティリアーヌスの以下の一節であった。「苦難に出会った人たちは、まだその悲しみが消えぬ間は、実に雄弁に泣き叫ぶように思われるが、怒りも時には無学な人を口達者にする。それは、彼らの完全に動揺した心の力が彼らの内にそうした情念の真実をもたらしたからに相違ない。それ故、真実に近づこうとするなら、実際に苦しんでいる人たちのように自分も深く苦しまねばならない。[35]」弁論家は苦しんでいる人を描写しようとするなら、その人と同じように苦しまねばならないというが、では、自分の苦しみでもないのにいかにして他者の苦しみを味わえるのか。その問いに対する答として、想像力によって不在の事物をありありと思い浮かべることによってそれが可能となるという文脈で、ἐνάργεια が語られるのである。

後に、ロジェ・ド・ピールも『フレノアの絵画論』の註釈の中で、クインティリアーヌスを引用しながら、「我々が、描こうとしている人と同じ思想の中に入り込み、その人と一体化し、自分自身がその人と同じ状況にあると想像するならば、［情念の］動きは、よりいっそううまく表現されるし、自然なものとなるであろう」と述べ[36]、また、デュボスも、クインティリアーヌスによりながら、「朗誦家にとって肝心なことは、他の人の心を動かすのに使おうとする描写の対象を、自分で生き生きと心に描きながら想像力を活動させることだという。これは語らせようとする人物の場に自分をおくことである」と述べている[37]。

要するに、聴衆あるいは読者に描写対象を彷彿させ、彼らを感動させるには、語り手自身がその場面をありありと想像し、登場人物と同じ立場に立って同じ気持ちにならなくてはならないというのである。論点自体は、作家は登場人物にどこまで肉薄できるか、あるいは、作家は登場人物にいかに共感できるのか、という問題であり、「他人の立場に身を置く」という用語法の点でも、当時の共感論との接点を窺わせるが、藝術論においては、こうした理論を背景にして、真の感情をもって語られる言葉の重要性が論じられるようになるのである。例えば、ヘンリー・ヒュームは、「性格や内なる情動」を生き生きと再現する才能は実に稀なので、「大多数の作家は、ある情念によって支配された人のようにその情念を表現するのではなく、傍観者のようにそれを描写することに甘んじている」と述べ、「自分が感じている情念の情趣」と「傍観者の言葉による冷たい描写」とを対比させて、後者を断罪している[38]。また、ダニエル・ウェブは、他人の感情を描くためにはその感情に浸らねばならないことを「ドラマの精神」と呼び、それは、演劇という形式だけでなく、詩人がある人物の性格になりかわって語る詩の形式すべてに妥当する、と述べている。しかしながら、こうした主張は、特に叙事詩や劇詩における感情描写・性格描写にあてはまる理論なのであって、根源的にはプラトンの『国家』第三巻のミメーシスとディエーゲーシス（叙述）の対比に内在していた論点と同質のものでもあった。[39]

そこで、注目すべきは、我々が本章の最初にあげた、ジェイコブの「音楽と抒情詩」との結びつきについての指摘である。特に抒情詩は、Lyric（竪琴の）という言葉が示しているように、本来、音楽と分かちがたく結びついていたとみなされ、抒情詩とは心の激情に委ねられたものである、と主張された。例えば、一七四九年に出版された『藝術、もしくは、詩と絵画と音楽と建築と雄弁に関する論考』の中で、匿名の著者は、以下のように語っている。「行為が描かれねばならない叙事詩や劇詩において、詩人は、心の中で力強く生き生きと、事物を自ら思い描き、即座に筆を取るようにしなくてはならないが、同様に、完全に感情に委ねられている抒情詩にあっては、詩人は、熱き心を持ってから、竪琴を取り上げねばならない。高邁な抒情詩を詩作しようとするなら、大いなる熱狂をかきたてねばならないのである。」頌歌（ode）には様々な種類があるが、その最高の形態が宗教詩である。「それは、至高の存在の偉大さ、万能、無限の善を我を忘れて賛美し、熱狂して叫びだす、心の表現なのである。」叙事詩や劇詩においては、何かを思い描こうとするイメージの形成力が求められるのに対して、つまり描写性が優位に立つのに対して、抒情詩においては、感情の高ぶりから歌うことが求められる、というのである。[40]

頌歌（ode）とはギリシア語本来の意味では歌うことを意味するが、実際に、この著作の書かれた前後頃から、エイキンサイド（一七四五年）、コリンズ（一七四六年）、ウォートン（一七四六年）、グレイ（一七五七年）、オウグルヴィ（一七六二年）たちによる英文学に名を残す『頌歌集（*Odes*）』の刊行があいつぎ、また、抒情詩と音楽への言及もふえてくる。例えば、五〇年代以降になると、ジョン・ブラウンの『詩と音楽の勃興・統合・力と進歩・分離・堕落論』（一七六三年）、ダニエル・ウェブの『詩と音楽の照応論』（一七六九年）、ジェームズ・ビーティーの『精神を感動させるものとしてみた、詩と音楽に関する試論』（一七七六年）といった著作にもみられるように、諸藝術比較論の表題に、詩と音楽との比較論が目立つようになり、こうした論考の中で、表現的契機はより重視されるようになるのである。なぜなら、音楽は、描写性から離れて、最も純粋に心の感情が外化されるジャンルとみなされたからであった。[41] 模倣が表現と対立する概念になりつつあったことは、例えば、ジェームズ・ビーティーの次の一節からも推察できる。「もし模倣と表現とを対比するなら、後者が優っていることは歴然としている。表現なき模倣は、とるに足らないものである。表現の邪魔となる模倣は欠点である。[42]」ここでは、ビーティーが、表情や声に語り手の感情が表れるのと全く同様に、作曲家自身の感情が、言わば表情として曲に表れるという説を述べたことを挙げるにとどめるが、いずれにせよ、創作家自身の感情が藝術理論の中で重視されるようになってゆくのである。

その要因について一点指摘しておくなら、先の匿名の著者の引用文の「熱狂」「高邁な」「至高の存在」などといった用語にも明確に表れているように、崇高論の影響が認められるであろう。イギリスでは、十七世紀後半以降崇高への関心が高まりつつあったが、後にバークも読んだというウィリアム・スミス訳のロンギノスの『崇高について』（一七三九年）が出版された頃から、[43] 崇高の一つの要因である「感動（パトス）」、すなわち情念を激しく熱狂的なまでに高める力」について語った文献が増え、創作における主観的・内面的な契機が強調されるようになるのである。例えば、ウィリアム・スミスの終生の友人であり、オクスフォード大学の詩学講座の教授ロバート・ラウスによる『ヘブライの宗教詩講義』もそうした関心を如実に示している。それは、宗教的頌歌の代表とみなされていた『旧約聖書』の詩篇等に関する一七四一年から五〇年にかけての講義をもとにしたものであり、特に一四章から一七章にかけて崇高を論じている点でも知られているが、その出版年は、バークの崇高論の出版される四年前の一七五三年であった。

ラウスの主張の基本的論点は、詩的言語は、感動の結果（the effect of mental emotion）生まれるという点にある。「詩的言語の起源と最初の使用は、明らかに、心の激情に求められる。……言わば魂の秘密の通路、内部の隠れ家がさっと開かれる時、そして、最も深奥にある着想が表れ、秩序も関連性もなく、ただ雑然とした流れとなって奔出する時、その時こそ、突然の叫び、疑問表現の数々、無生物に対する頓呼法まで生まれるのである。」つまり、感動は比喩の多い「情念の言語」を生み出すというのである。(44) なぜなら、情念にとらわれる時、精神は、その情念を引き起こした対象に釘付けとなり、それを示そうとやっきとなって、平明で正確な描写には満足せずに心の感性に合った描写をしようとするからである。

当時の思想家の話題によくのぼった、比喩は情念の言語活動の結果であるとするこうした主張について、ヘンリー・ヒュームも、『批評の原理』の「情念の言語」の章の中で次のように語っている。「高邁な感情は高邁な言葉を必要とする。優しい感情は柔らかで流れるような言葉をまとっていなければならない。なんらかの情念で滅入る時は、感情は卑俗ではないが慎ましい言葉で表現されねばならない。」「情念の奔出のさなかで、人は、一般に、最も心にかかるものを最初に表現する。(45)」

理性の働きではなく情念の働きによってもたらされる詩的言語とは、視覚の比喩をもって語られるような、対象を彷彿させる絵画的描写を本質とするものではなく、「魂の最も深奥にある着想」（ラウス）や「最も心にかかるもの」（ケームズ卿ヘンリー・ヒューム）や「藝術家が感銘を受けた観念や連想や感情」（ジェラード）といった、詩人自らが感じた affection, sensation, impression, feeling といった心の動きを重んじるところにその本質をおくものなのであり、こうした理論においては、明らかに詩人の内面性に力点が置かれたのである。

さらに、詩人の内面性を重視するこうした詩の理論は、音楽との結びつきを強めていく。例えば、ジョン・ブラウンは、ロンギノスによる「詩の領域は、情念の描写や言葉（the Description and Language of the Passions）なのであるから、律動（Measure）は本来詩に属する」という一節を引用して、詩の音楽的特質に注目し、他方、未開の文化における詩が踊りや音楽と一心同体であったことを強調している。「時がたち経験が増えるにつれて、韻律ある旋律を自ずと好むことは、声を歌に、身振りを踊りに、発話を韻文や抑揚に変えた。……どんな地方の野蛮な民族においても、音楽と踊りと詩は手に手をとりあって進んでいることが見られる。[46]」また、ウェブも、詩本来のもつ言葉の力を古代の詩に求めている。「恣意的な記号の操作による言語の進歩は、思索という目的にとっては必要であるが、我々の感性の潑剌さにも、言語に実在性を与えていた模倣的精神にも、初期の時代に常にあった表情豊かな抑揚の効果にもそぐわないであろう。[47]」初期の時代の言語とは、観念を操作する記号としての言葉ではなく、直接ものと結びついている言葉、それ自体が表情豊かな言葉であり、近代の言語は、そうした言葉のもつ力を失ってしまった――これがウェブたちの主張するところだったのであるが、そこにおいて、表現と描写は、より鮮明に対比的に語られることとなる。「詩人が心の動きから書くのを止めた時、音楽家は想像の気まぐれから歌い始めた。／表現の精神が衰退するにつれて、描写趣味が、当然のことながら、優勢になるであろう。我々は自分の心の動揺や情愛を表現する。我々は外的な対象の状況や性質を描写する。[48]」想像のきまぐれからではなく、心の動きから書き、歌うこと、それが表現の精神だというのである。

従って、図式化して言うなら、十八世紀には、一方において、想像力によって描き出される生き生きとした描写は、絵画的な印象を与えるものとして、絵に喩えられたのに対して、他方、心の内にあるものの表現は、未開の時代の音楽と結びついた「歌」に通じるものとされたのである。前者、つまり絵画との類似性を強調する詩の理論は、確かに十八世紀を通じて主張され続け、所謂ピクチャレスクにみられるように、絵画的なるものは自然との結びつきを強めていったのに対して、十八世紀の中葉頃から、詩が音楽との絆をいっそう強めていったことも、見逃してはならない一つの顕著な傾向なのである。

注

（1）一例を挙げるなら、Edmund Malone 編の *The Works of Sir Joshua Reynolds, Knight*（[4]1809）の第三巻にも、フレノアの絵画論（ラテン語原文と英訳）並びにドライデンの『詩と絵画の比較論』が再録されている。

（2）John Dryden, A Parallel of Poetry and Painting, in *The Works of John Dryden*, vol. XVII, 1808, p. 303.

（3）Hildebrand Jacob, *Of Sister Arts: an Essay*, 1734, Garland Publishing, 1970, p.4.

（4）Amy L. Reed, *The Background of Gray's Elegy*, Columbia U. P., 1924, pp. 142-43.

（5）Joseph Warton, *An Essay on the Genius and Writings of Pope*, vol. 2, 1756, Garland Publishing, 1970, p. 185.

（6）F. W. Bateson（ed.）, *The Cambridge Bibliography of English Literature*, vol. II, 1940.

（7）Twining は詩における模倣を四つに分けて、その一つとして「描写的模倣（descriptive imitation）」をあげている。Thomas Twining, On Poetry Considered as an Imitative Art, in *Two Dissertations*, Garland Publishing, 1971,

1789, p. 9.

（8）*St. James Journal*, 1723.

（9）R. Hurd, *A Discourse concerning Poetical Imitation*, 1751, in *The Works* II, 1811, Georg Olms, 1969, p. 116. ちなみに、still life という単語は、オランダ語（stilleven）に由来し、英語の初出（*OED*）は一六九五年であることからも、オランダの風景画や静物画や風俗画の描写性はイギリス人の関心を引き始めていたことが窺われる。

（10）ハードの激しい感情と穏やかな感情という分類は、伝統的な〈情念と性格〉という分類に対応する。例えば、クインティリアーヌスは、『弁論術教程』第六巻の二で、感情をギリシア語の pathos と ethos に対応するものとして、ラテン語の adfectus と mores をあげ、その特質として、vehementer commotos と lenis をあげている。恐らくこの箇所を指して、ロジェ・ド・ピールは、二つの情念を les patétiques（vifs & violens）と les moraux（doux & modérés）に分けている。

（11）ibid., p.127.

（12）Franciscus Junius, *De pictura veterum*, 1637, *The Painting of the Ancients*, 1638, p. 50.

（13）ibid., p. 265.

（14）Quintilianus, *Institutio oratoria*, H. E. Butler, M. A. (tr.), Vol. II, Harvard, 1977, p. 434.

（15）ピーター・ディクソン『修辞』忍足欣四郎訳、研究社出版、一九七五年、四八頁。

（16）Dryden, Preface to *Annus Mirabilis*, 1666.

（17）Collete Nativel, Franciscus Junius et le《De pictura veterum》, *XVIIe Siècle*, 1983, p. 8.

（18）Du Bos, *Réflexions critiques sur la poësie et sur la peinture*, 1719, 1770, Slatkine, 1982, p. 426.（デュボス『詩画論I』木幡瑞枝訳、玉川大学出版部、一九八四年、二二一頁）

(19) ibid., p. 297.（同一五九頁）
(20) Lessing, *Laokoon*..., XIV.
(21) J. Warton, op.cit., vol. 2, 1756, p. 165.
(22) Henry Home, *Elements of Criticism*, vol. III, 1762, Georg Olms, 1970, pp. 174, 197.
(23) Hugh Blair, *A Critical Dissertation on the Poems of Ossian*, 1763, Garland Publishing, 1970, p. 845.
(24) J. Richardson, *Explanatory Notes and Remarks on Milton's Paradise Lost*, 1734, AMS PRESS, 1973.
(25) J. Richardson, *An Essay on the Whole Art of Criticism in Relation to Painting*, 1719, in *The Works*, 1773, Georg Olms, 1969, p. 2.
(26) J. Addison, *The Spectator*, no. 416, 1712.
(27) William Warburton, *The Divine Legation of Moses*..., 1738-44, in *The Woks* Vol. II, Georg Olms, 1978, pp. 388-95, 403.
(28) Léonard des Malpeines (trad.), *Essai sur les hiéroglyphes des Egyptiens*, 1744, Aubier Flammarion, 1977.
(29) 聖刻文字を表音文字として捉えようとしたことが解読のきっかけとなったのであるから、ウォーバートンは聖刻文字を視覚的な絵画性と結び付けすぎていたと言えるが、しかし、今日、原シナイ文字の発見に伴って、聖刻文字がギリシアのアルファベットのもとになったという学説が提出されていることに照らし合わせてみても、絵からアルファベットへの移行に関するウォーバートンの主張には、かなり興味深い卓見が認められる。ヴィヴィアン・デイヴィズ『エジプト聖刻文字』塚本明広訳、學藝書林、一九九六年、一一一頁参照。
(30) J. Harris, *Three Treatises*, 1744, [2]1765, Garland Publishing, 1970, pp. 58, 76-78, 83-84.
(31) Hurd, op. cit., p. 129.

（32）Charles Lamotte, *An Essay upon Poetry and Painting*, 1730, Garland Publishing, 1970, pp. 27-28.
（33）Dryden, op.cit., p. 323.
（34）J. Richardson, op.cit., pp. 51-52.
（35）Quintilianus~Junius, 1637, p. 265.
（36）Roger de Piles~Dryden, *Observation of The Art of Painting*, p. 449.
（37）Du Bos, op.cit., p. 436.（前掲書三三七頁）
（38）H. Home, op.cit., p. 153.
（39）Daniel Webb, *Observations on the Correspondence between Poetry and Music*, 1769, Garland Publishing, 1970, p. 132.（本書第二章「共感・模倣・変身」の「描写と劇的模倣」参照）
（40）Anon., *The Polite Arts, or, a Dissertation on Poetry, Painting, Musick, Architecture, and Eloquence*, 1749, pp. 121-24.
（41）*cf.* M. H. Abrams, *The Mirror and the Lamp*, Oxford, 1953, 1977, pp. 50, 92.
（42）James Beattie, *Essays on Poetry and Music as They Affect the Mind*, 1776, Georg Olms, 1975, p. 449.
（43）William Smith (tr.), *Dionysius Longinus on the Sublime*, 1739, Scholar's Facsimiles, 1975.
（44）Robert Lowth, *De sacra poesi hebraeorum praelectiones academicae*, 1753, G. Gregory (tr.), 1787, Garland Publishing, 1971, pp. 79, 308-9.
（45）H. Home, op. cit., pp. 207, 211.
（46）John Brown, *A Dissertation on the Rise, Union, and Power, the Progressions, Separations, and Corruptions, of Poetry and Music*, 1763, Garland Publishing, 1971, pp. 51, 27-28.

（47） D. Webb, op.cit., 1769, p. 63.
（48） ibid., pp. 138-9. （傍点筆者）

初出一覧

（　）内は、本書における変更箇所

・「共感の生起と射程について――ディヴィド・ヒューム美学構成への一視点――」
『美学』一二九号　美学会編　一九八二年

・「共感・模倣・変身――十八世紀～十九世紀初頭のイギリスにおける共感論と創作論の接点を求めて――」
『美学』一七八号　美学会編　一九九四年
（原題の「十八世紀」の世紀を削除）

・「ヒュームのプライド論」
『佐賀大学教養部紀要』第二十七巻　一九九五年
（副題「――共感と比較の原理を視野に入れて――」を追加）

・「ギルピンのピクチャレスク・ツアー――光と時間と植生のピクチャレスク――(1)」
『佐賀大学文化教育学部研究論文集』第一五集　第一号　二〇一〇年
（副題を削除）（原題を「ウィリアム・ギルピンのピクチャレスク・ツアー」と改題）

・「水と光と植生のピクチャレスク――ギルピンの自然観と美観――」
書き下ろし

・「表象としての風景美――ギルピンとアリスンの風景思想を中心として――」
『藝術文化のエコロジー』齋藤稔編　勁草書房　一九九五年

・「E・ヤングの天才論――模倣と独創性を巡って――」
『群馬県立女子大学紀要』第七号　一九八七年
（原題の「E・ヤング」を「エドワード・ヤング」に、「巡って」を「めぐって」に変更）

・「ジェラードとダフにおける天才概念の諸相」
『佐賀大学教養部紀要』第二十五巻　一九九三年
（原題の「ジェラードとダフ」を「アリグザーンダ・ジェラードとウィリアム・ダフ」に変更、「の諸相」を省略）

・「ut pictura poesis から ut musica poesis へ――イギリスの諸藝術比較論における〈描写〉と〈表現〉をめぐって――」
『日本十八世紀学会年報』第十三号　日本十八世紀学会（一部掲載）　一九九八年

あとがき

十八世紀イギリス美学の主要な概念としては、趣味・感覚・想像力・天才・批評・崇高・ゴシック趣味・廃墟、庭園などが挙げられるであろうが、本書は、こうした概念とも深く関わる、〈共感〉〈ピクチャレスク〉〈ポイエーシス〉という三つの主題を軸として構成されている。これら三つの主題は、一見すると相互に関連性がないようにみえるかもしれないが、共感は感情と、ピクチャレスクは視覚と、ポイエーシスは想像力という、美意識を成立させる人間の能力と深く関わっており、それはまたイギリス経験論的美学を成立させるのに重要な役割を担った基本的契機でもある。

十八世紀というと、一般的には啓蒙期という名称で括られるのかもしれない。**Aufklärung** や **enlightenment** の訳語として「啓蒙」という語を初めて用いたのは、東京帝国大学文科大学で大塚保治と同時期に学んだ大西祝《はじめ》（操山）である。桑木厳翼《げんよく》は「大西博士と啓蒙思想」の中で次のように述べている。「今日啓蒙という語を用ゐる者は、何人も之が獨逸語のアウフクレールング、英語のエンライトゥメント或はイルミネーションに相當することを知って居る。而して是等の獨英語には從前舊習一洗或は開明其他の譯語があったが、古來の熟字たる啓蒙といふ語を之に當嵌めたのは、私の記憶が誤りでないならば、實に大西祝博士の創意に因るものである。」（『丁酉倫理會』第三四一輯、昭和六年）大西祝は、坪内逍遙と共に、東京専門学校（現在の早稲田大学）の文学科創設（明治二十三年）に尽力し、京都帝国大学文科大学長にほぼ内定していながら、残念なことに三十六歳という若さで病に倒れた。金子馬治《うまじ》、島村抱月、綱島梁川《りょうせん》等は、「大西なくしては生まれず、育たなかった」（『早稲田大学百年史』第一巻、六六八頁）人材であり、また、彼の業績は哲学史、論理学、倫理学、心理学、美学等と多岐にわたり、『大西祝全集』七巻（警醒社、明治三十六～三十七年）として残されている。啓蒙期というと、理性によって蒙《くら》きを啓《ひら》くものとして、理性の時代と捉えられるであろうが、十八世紀も進むにつれて、文学においても思想においても、理性によっては捉えがたい非合理的なるものが頭をもたげてくる。それは、ロック、ヒュームに代表される経験論が人間の認識の出発点に感覚や印象や感情を置いていたこと、光学・電磁気の研究をはじめとした近代科学が急激に進歩し始めた時代であるにもかかわらず理性に対して懐疑の目が向け始められたこと、産業革命に伴う都市化に対する反動として自然現象の美しさや自然に内在する不可知の力が注目され始めたこと等々、の必然的な成り行きであった。そして、このことは感性の学としての美学が誕生したこととも呼応していることは言うまでもない。十八世紀は科学、宗教、哲学・倫理思想、産業、交通、絵画や音楽の様式など様々な領域で、地殻変動を起こし始めた時代だったのである。

他方、個から出発する経験論にあっては、個と個の結びつき、例えば、観念相互の結びつきである〈観念連合〉、個人的な感情と感情の結びつきである〈共感〉、人と人との結びつきである社会を形成する上での〈契約や法的正義〉が、個と一般を繋ぐものとして、経験論の立ち向かう最重要課題となった。第一部「共感」の第一章「共感の生起と射程について——ディヴィド・ヒューム美学構成への一視点——」では、アダム・スミスの『道徳感情論』に先だって、彼の友人でもあったディヴィド・ヒュームが、道徳判断の普遍性に到達するためばかりでなく、美的体験においても重要な役割を担う共感の特質を明らかにしたことを扱っている。第二章「共感・模倣・変身——十八～十九世紀初頭のイギリスにおける共感論と創作論の接点を求めて——」では、共感概念の中に含まれる「他者との同一化」という位相が、作家と登場人物との身体的・

精神的模倣（変身・変心）の契機として創作活動の重要な位置を占めている点を明らかにした。また、第三章「ヒュームのプライド論――共感と比較の原理を視野に入れて――」では、他者との同一化の原理である「共感」と他者との異化の原理である「比較」という契機が、人間の感情を左右する力動的モメントとなっていることを論じた。

第二部でとりあげた「ピクチャレスク」に関しては、これまでに、

Elizabeth Wheeler Manwaring; *Italian Landscape in Eighteenth Century England*, 1925.

Christopher Hussey; *The Picturesque*, 1927.

Walter John Hipple Jr.; *The Beautiful,The Sublime, and The Picturesque in Eighteenth-Century British Aesthetic Theory*, 1957.

Carl Paul Barbier; *William Gilpin*, 1963.

等の名著が公表されてきた。日本においては、戦前から、例えば針ヶ谷鐘吉（『英吉利風景式庭園』『造園研究』昭和八年）によって、ピクチャレスク派は「繪画派」として、ギルピンは「森林美學者」として紹介されていたが、ピクチャレスクが流行し始めたのはこの数十年であり、総じて、視覚の美学として紹介されてきた。そうしたピクチャレスク観に従って「絵のような風景」が強調されるなら、そこから動的なものは除外されてしまう。本書は、そういったピクチャレスク観に対して、動きや時間の流れや偶然性といったものがピクチャレスクという美観の成立において不可欠であることを明らかにしようとした点で一貫している。第四章「ウィリアム・ギルピンのピクチャレスク・ツアー」、第五章「水と光と植生のピクチャレスク――ギルピンの自然観と美観――」では、例えば、一瞬一瞬の光の変化によってうつろう山や海の風景の美しさ、湖面に映る山並みの揺らめく風景、季節の巡りとともに紅葉する風景、幾星霜経て苔むした廃墟の異形

の佇まいといった、時間を関数とした色彩と光の彩なす風景を、ギルピンのピクチャレスク思想の重要なモメントとして抽出した。こうした光景への傾倒に、印象派的な感性の芽生えを見ることも可能であろう。第六章「表象としての風景美――ギルピンとアリスンの風景思想を中心として――」では、一般的に視覚の美学とされるギルピンのピクチャレスク美学と、観念連合や回想を美的体験の中心に据えたアリスンの美学思想とを対比して、ロマン派に繋がる風景観の系譜を探った。

一般に、ピクチャレスクは、主に視覚に依拠する美的品質として、宗教とは無縁なもののように思われがちであるが、実は、その唱道者であるギルピンが熱心な牧師であったことは見逃されがちな点である。例えば、大英図書館には、ギルピンがピクチャレスク紀行以降に残した著作が数多く所蔵されている。その一部をあげておく。

Two Sermons, 1788.
An Exposition of the New Testament; intended as an introduction to the Study of the Scriptures, etc., 1790.
Lectures on the Catechism of the Church of England, 1792.
An Explanation of the Duties of Religion, for the use of Boldre school, in New Forest, 1798.
Moral Contrasts: or the Power of Religion exemplified under different characters, 1798.

彼のピクチャレスク紀行のはしばしに宗教的な暗示が語られている点、また、ギルピンはピクチャレスク紀行を行わなくなった晩年にはますます宗教的活動に没頭するようになったことなどを考えると、ギルピンにおける宗教とピクチャレスクとの関連性というテーマは、今後論究せねばならない課題となるであろう。

なお、本書に収録しなかった論文として、「ピクチャレスクと〈動きと時間〉——プライスのピクチャレスク美学の一断面——」（『諸藝術の共生』齋藤稔教授退官記念論文集編集委員会編、渓水社、一九九五年）、「旅の世紀としてのイギリス十八世紀——ギルピンのピクチャレスク・ツアーを中心として——」（『日常性の環境美学』西村清和編、勁草書房、二〇一二年）がある。

第三部「ポイエーシス」は、一方において、十八世紀の制作《ポイエーシス》（創造）論に関わる天才論と、他方において、「詩《ポエーシス》は絵の如く」の伝統的問題に関わる諸相を扱っている。元来、経験論にあっては、真に創造的なるものへの思索は生まれがたい。制作（創造）とは、個々の観念の新たな結合の仕方にすぎなくなってしまうからである。では、なぜ十八世紀イギリス美学においてポイエーシスが問題となったのか。その誘因としては、第一に、古典の影響力があげられよう。例えば、この頃から、アリストテレスの『詩学』は本格的に研究され始める。それまでのイギリスでは、アリストテレスの『詩学』はダシェのフランス語からの作者不明の英訳（一七〇五年）があっただけで、一七七五年なってパイは原典からの英訳を公表し、その直後にトワイニングは一〇年にわたる原典研究の成果を公表している。他方、ホラティウスの『詩法（ars poetica）』の英訳（一七〇一年）や研究書（William Hurd 等）は既に出版され、その中の natura と ars の対比は、天才論や庭園論や風景論にも大きな影響を与えた。しかし、何よりもロンギノス伝『崇高について』（当時はロンギノス作と考えられていた）が制作（創造）論に与えた影響は閑却できない。イギリスを中心とした『崇高について』の版の出版年をあげておくが、その中で、ウィリアム・スミス版とパース版は、十八世紀に何度も版を重ねている。（［ ］内はイギリス以外の出版。）

［1555　*Περὶ Ὑψους Βιβλιον*, by P. Manutius.（ヴェニス）］

1636　*Περὶ Ὕψους*, by Gerard Langbaine.（ラテン語訳、オクスフォード）
1652　*Περὶ Ὕψους or, Dionysius Longinus of the Height of Eloquence*, by John Hall.
（最初の英訳）
［1674　*Traité du Sublime ou du Merveilleux dans le Discours*, by H. Boileau Despréaux］
1680　*A Treatise of the Loftness or Elegancy of Speech*, by John Pulteeny.（ボワロー訳からの英訳）
1710　*Περὶ Ὕψους Βιβλιον*, by J. Hudson.
1712　*The Works of Dionysius Longinus On the Sublime*, by L. Welsted.
1724　*Περὶ Ὕψους, De Sublimitate commentaries*, by Z, Pearce.（一七七〇年には第四版に達する）
1739　*Dyonysius Longinus on the Sublime*, by William Smith.
1762　*A Treatise of Dionysius Longinus upon the Sublime*, ... with explanatory notes, Charles Carthy.
（ダブリン）

以上からもロンギノスへの関心の高さは推察できるが、イギリスでは、本来修辞学・文体論であった崇高論を礎として、グランド・ツアーによるアルプス体験が引き金となって流行した自然における崇高論は、自然のもつ破壊的な力、人知を越えた産出力・創造力などを喧伝した点で、ロマン派に直結する誘因となった。また、ラファエロの古典主義的な晴朗さに対して、ミケランジェロの崇高な天才が高く評価されるようになったことは、十八世紀の感受性の大きな変化を示すものであった。この点は、Samuel H. Monk, *The Sublime; A Study of Critical Theories; in XVIII-Century England*, 1935 ならびに Marjorie Nicolson, *Mountain Gloom, Mountain Glory: the Development of the Aesthetics of the Infinite*, 1959 に詳しい。

こうした時代に、ニュートンをはじめとする科学・技術の発展に伴って、科学技術の発明や製作 vs 文学・藝術上の創作、あるいは、科学における天才 vs 文学おける天才の相違が問題視されるようになる。第七章「エドワード・ヤングの天才論――模倣と独創性をめぐって――」においては、ヤングが、古典を範とした保守的な新古典主義の文学・藝術観に対して、過去に拘泥しない新たな価値としての独創性（originality）を喧伝することにおいて大きな影響を与えたことを論じた。第八章「アリグザーンダ・ジェラードとウィリアム・ダフにおける天才概念」においては、ジェラードが伝統的な修辞学の影響を受けながらも、観念連合という疑似科学的な思考のパターンに基づいて天才論を論じたのに対して、ダフは、独創性が最も発揮される超自然的なテーマに基づく作品をとりあげ、また、古代社会を独創性の宝庫とみなしたことを明らかにした。第九章「**ut pictura poesis** から **ut musica poesis** へ――イギリスの諸藝術比較論における〈描写〉と〈表現〉をめぐって――」においては、主に、（一）レッシングの『ラオコーン』によってホラティウス以来の「絵は詩の如く」の伝統が反駁されたことは一般によく知られているが、それ以前のイギリスにおいても、レッシングと同様の比較藝術学的な思想が芽生えていたこと、（二）**ut pictura poesis** の伝統における詩とは、叙事詩や悲劇であったのに対して、イギリスにおいてこの「詩」の指していたのは主に（絵画性や描写性と深い関わりをもっていた）叙景詩であり、それが徐々に（元来、音楽と深い関わりをもっていた）抒情詩にとって代わられるようになり、「詩は音楽の如く」という思想が芽生えてきたこと、等を明らかにした。詩のポイエーシス（制作）を導く理念が、絵画的なるものから音楽へと移っていったのである。

本書でとりあげた論文はかなり以前に執筆したものが多く、現在から見ると拙い部分もあり、また、部分的に重複している箇所も散見される。しかし、各論文は当初単独でまとまったものとして書かれたものであるから、本書に収録するにあたっては、必要最小限の手直しをするに留め、論旨自体に大幅な変更を加えることはしなかった。

最後に、出版を引き受けて下さった鳥影社の百瀬社長をはじめお世話になった方々に、心から感謝いたします。当初は、イギリス美学の書物を出していただけるのか不安に思っておりました。しかし、鳥影社の社名の由来をうかがった時、ピクチャレスクの代表的な光景でもある、湖面に映る山並みのゆらめく影や、最近登頂したスペインの最高峰テイデ山から眺めた、朝焼けを浴びて海面に映し出されたテイデの影（sombra del Teide）と「鳥影」とが心の中でシンクロして、影のもつ虚実の美や、オスカー・ベッカーの美のはかなさへと思いが及び、この本の最適の居場所を見つけたような気がしました。

〈著者紹介〉

相澤 照明（あいざわ てるあき）

佐賀大学名誉教授。

専門は18世紀美学・藝術論。

論文：

「悲劇の快について――D・ヒュームの悲劇論とその周辺――」（群馬県立女子大学紀要　1986年）

「エドマンド・バークにおける崇高と恐怖」（『藝術研究』広島藝術学研究会　1991年）

「ジョシュア・レノルズ卿の新時代的感性」（佐賀大学教養部紀要　1994年）

「ピクチャレスクと〈動きと時間〉――プライスのピクチャレスク美学の一断面――」（齋藤稔編『諸藝術の共生』所収　渓水社　1995年）

「イギリス経験論における笑い論――知的笑いの分析を中心として――」（佐賀大学教養部紀要　1996年）

「視覚性と言語をめぐって――言語起源論の文脈とウォーバートン――」（『「感性学」の新たな可能性――その意義と限界』（科研報告書　研究代表者 山縣熙）所収　2010年）

「旅の世紀としてのイギリス18世紀――ギルピンのピクチャレスク・ツアーを中心として――」（西村清和編『日常性の環境美学』所収　勁草書房　2012年）

翻訳：

『18世紀イギリスのアカデミズム藝術思想――「ジョシュア・レノルズ卿の「講話集」――』（知泉書館　2017年）等

共感・ピクチャレスク・ポイエーシス
― 十八世紀イギリス美学の諸相 ―

定価（本体3200円＋税）

乱丁・落丁はお取り替えします。

2020年 3月 10日初版第1刷印刷
2020年 3月 16日初版第1刷発行
著　者　相澤照明
発行者　百瀬精一
発行所　鳥影社（www.choeisha.com）
〒160-0023　東京都新宿区西新宿3-5-12トーカン新宿7F
電話　03（5948）6470, FAX 03（5948）6471
〒392-0012　長野県諏訪市四賀229-1（本社・編集室）
電話 0266（53）2903, FAX 0266（58）6771
印刷・製本　モリモト印刷

ISBN978-4-86265-797-8　C0070